POESIAS
REUNIDAS

OSWALD D

Coordenação editorial
JORGE SCHWARTZ E GÊNESE ANDRADE

POESIAS REUNIDAS

E ANDRADE

O lado oposto
OSWALD DE ANDRADE

Carta sobre *Primeiro caderno do aluno de poesia Oswald de Andrade*
CARLOS DRUMMOND DE ANDRADE

Oswald de Andrade não quer falar mal da crítica
MÁRIO DA SILVA BRITO

Uma poética da radicalidade
HAROLDO DE CAMPOS

COMPANHIA DAS LETRAS

Grafia atualizada segundo o Acordo Ortográfico da Língua Portuguesa de 1990, que entrou em vigor no Brasil em 2009.

PESQUISA, REVISÃO E ESTABELECIMENTO DO TEXTO OSWALDIANO: Gênese Andrade

CRONOLOGIA: Orna Messer Levin

CAPA E PROJETO GRÁFICO: Elisa von Randow

FOTO DO AUTOR: Gregori Warchavchik, Oswald de Andrade, 1943. Fotografia P&B, 24 × 18 cm. Fundo Oswald de Andrade - Cedae/ IEL - Unicamp, Campinas.

QUARTA CAPA: Lasar Segall, *Rosto de mulher*, *c.* 1943. Capa da primeira edição de *Poesias Reunidas O. Andrade*. São Paulo: Gaveta, 1945. Reprodução de Renato Parada. © Museu Lasar Segall, Ibram, MinC, São Paulo.

PREPARAÇÃO: Marina Munhoz

REVISÃO: Carmen T. S. Costa, Angela das Neves e Ana Luiza Couto

Dados Internacionais de Catalogação na Publicação (CIP)
(Câmara Brasileira do Livro, SP, Brasil)

Andrade, Oswald de, 1890-1954.
Poesias reunidas / Oswald de Andrade. — 1ª ed. — São Paulo : Companhia das Letras, 2017.

ISBN 978-85-359-2753-5

1. Andrade, Carlos Drummond de, 1902-1987 – Carta sobre Primeiro caderno do aluno de poesia Oswald de Andrade 2. Andrade, Oswald de, 1890-1954 – Crítica e interpretação 3. Andrade, Oswald de, 1890-1954. O lado oposto 4. Brito, Mário da Silva. Oswald de Andrade não quer falar mal da crítica 5. Campos, Haroldo de, 1929-2003. Uma poética da radicalidade I. Título.

16-06965 CDD-869.98

Índice para catálogo sistemático:
1. Escritores brasileiros : Apreciação crítica : Literatura brasileira 869.98

3ª reimpressão

[2022]

EDITORA SCHWARCZ S.A.
Rua Bandeira Paulista, 702, cj. 32
04532-002 – São Paulo – SP
Telefone: (11) 3707-3500
www.companhiadasletras.com.br
www.blogdacompanhia.com.br
facebook.com/companhiadasletras
instagram.com/companhiadasletras
twitter.com/cialetras

SUMÁRIO

PAU BRASIL

CANCION
EIRODEO
SWALDDE
ANDRADE
PREFACI
ADOPORP
AULOPRA
DOILLUM
INADOPO
RTARSIL
A
1 9 2 5

IMPRESSO PELO " SANS PAREIL "
DE PARIS
37, AVENUE KLÉBER

POESIA PAU BRASIL

PAULO PRADO

A POESIA "PAU BRASIL" é o ovo de Colombo — esse ovo, como dizia um inventor meu amigo, em que ninguém acreditava e acabou enriquecendo o genovês. Oswald de Andrade, numa viagem a Paris, do alto de um atelier da Place Clichy — umbigo do mundo — descobriu, deslumbrado, a sua própria terra. A volta à pátria confirmou, no encantamento das descobertas manuelinas, a revelação surpreendente de que o Brasil existia. Esse fato, de que alguns já desconfiavam, abriu seus olhos à visão radiosa de um mundo novo, inexplorado e misterioso. Estava criada a poesia "Pau Brasil".

Já tardava essa tentativa de renovar os modos de expressão e fontes inspiradoras do sentimento poético brasileiro, há mais de um século soterrado sob o peso livresco das ideias de importação. Um dos aspectos curiosos da vida intelectual do Brasil é esse da literatura propriamente dita, ter evoluído acompanhando de longe os grandes movimentos da arte e do pensamento europeus, enquanto a poesia se imobilizou no tomismo dos modelos clássicos e românticos, repetindo com enfadonha monotonia, as mesmas rimas, metáforas, ritmos e alegorias. Veio-lhe sobretudo o retardo no crescimento do mal romântico que, ao nascer da nossa nacionalidade, infeccionou tão profundamente a tudo e a todos. Com a partida para fora da colônia do lenço de alcobaça e da caixa de rapé de d. João VI, emigraram por largo tempo deste país o bom senso terra a terra e a visão clara e burguesa das coisas e dos homens.

Em política o chamado "grito do Ipiranga" inaugurou a deformação da realidade de que ainda não nos libertamos e nos faz viver num como sonho de que só nos acordará alguma catástrofe benfeitora. Em literatura, nenhuma outra influência poderia ser mais deletéria para o espírito nacional. Desde o aparecimento dos *Suspiros poéticos e saudades*, de Gonçalves de Magalhães, que os nossos poetas e escritores, até os claros dias de hoje, têm bebido inspirações no crânio humano cheio de bourgogne com que se embebedava Child Harold nas orgias de Newstead. O lirismo puro, simples e ingênuo, como um canto de pássaro, só o exprimiram talvez dois poetas quase desprezados — um, Casimiro de Abreu, relegado à admiração das melindrosas provincianas e caixeiros apaixonados; outro, Catulo Cearense, trovador sertanejo, que a mania literária já envenenou. Foram esses, melancólicos, desalinhados e sinceros, os dois únicos intérpretes do ritmo profundo e íntimo da Raça, como Ronsard e Musset na França, Moeriken e Uhland na Alemanha, Chaucer e Burns na Inglaterra, e Whitman nos Estados Unidos. Os outros são lusitanos, franceses, espanhóis, ingleses e alemães, versificando numa língua estranha que é o português de Portugal, esbanjando talento e mesmo gênio num desperdício lamentável e nacional.

O verso clássico "*Sur des pensers nouveaux, faisons des vers antiques*" está também errado. Não só mudaram as ideias inspiradoras da poesia, como também os moldes em que ela se encerra. Encaixar na rigidez de um soneto todo o baralhamento da vida moderna é absurdo e ridículo. Descrever com palavras laboriosamente extraídas dos clássicos portugueses e desentranhadas dos velhos dicionários, o pluralismo cinemático de nossa época, é um anacronismo chocante, como se encontrássemos num Ford um tricórnio sobre uma cabeça empoada, ou num torpedo a alta gravata de um dândi do tempo de Brummel. Outros tempos, outros poetas, outros versos. Como Nietzsche, todos exigimos que nos cantem um canto novo.

A poesia "Pau Brasil" é, entre nós, o primeiro esforço organizado para a libertação do verso brasileiro. Na mocidade culta e ardente de nossos dias, já outros iniciaram, com escândalo e sucesso, a campanha de liberdade e de arte pura e viva, que é a condição indispensável para a existência de uma literatura nacional. Um período de construção criadora sucede agora às lutas da época de destruição revolucionária, das "palavras em liberdade". Nessa evolução e com os característicos de suas individualidades, destacam-se os nomes já consagrados de Ronald de Carvalho, Mário de Andrade e Guilherme de Almeida, não falando nos rapazes do grupo paulista, modesto e heroico.

O manifesto de Oswald, porém, dizendo ao público o que muitos aqui sabem e praticam, tem o mérito de dar uma disciplina às tentativas esparsas e hesitantes. Poesia "Pau Brasil". Designação pitoresca, incisiva e caricatural, como foi a do confetismo e fauvismo para os neoimpressionistas da pintura, ou a do cubismo nestes últimos quinze anos. É um epíteto que nasce com todas as promessas de viabilidade.

A mais bela inspiração e a mais fecunda encontra a poesia "Pau Brasil" na afirmação desse nacionalismo que deve romper os laços que nos amarram desde o nascimento à velha Europa, decadente e esgotada. Em nossa história já uma vez surgiu esse sentimento agressivo, nos tempos turbados da revolução de 93, quando "Pau Brasil" era o jacobinismo dos Tiradentes de Floriano. Sejamos agora de novo, no cumprimento de uma missão étnica e protetora, jacobinamente brasileiros. Libertemo-nos das influências nefastas das velhas civilizações em decadência. Do novo movimento deve surgir, fixada, a nova língua brasileira, que será como esse "Amerenglish" que citava o *Times* referindo-se aos Estados Unidos. Será a reabilitação do nosso falar cotidiano, *sermo plebeius* que o pedantismo dos gramáticos tem querido eliminar da língua escrita.

Esperemos também que a poesia "Pau Brasil" extermine de vez um dos grandes males da raça — o mal da eloquência balofa e roçagante. Nesta época apressada de rápidas realizações a tendência é toda para a expressão rude e nua da sensação e do sentimento, numa sinceridade total e sintética.

Le poète japonais
Essuie son couteau:
Cette fois l'éloquence est morte

diz o haikai japonês, na sua concisão lapidar. Grande dia esse para as letras brasileiras. Obter, em comprimidos, minutos de poesia. Interromper o balanço das belas frases sonoras e ocas, melopeia que nos aproxima, na sua primitividade, do canto erótico dos pássaros e dos insetos. Fugir também do dinamismo retumbante das modas em atraso que aqui aportam, como o futurismo italiano, doze anos depois do seu aparecimento, decrépitas e tresandando a naftalina. Nada mais nocivo para a livre expansão do pensamento meramente nacional do que a importação, como novidade, dessas fórmulas exóticas, que envelhecem e murcham num abrir e fechar de olhos, nos cafés literários e nos cabarés de Paris, Roma ou Berlim. Deus nos livre desse esnobismo rastacuérico, de todos os "ismos" parasitas das ideias novas, e sobretudo das duas inimigas do verdadeiro sentimento poético — a Literatura e a Filosofia.

A nova poesia não será nem pintura, nem escultura, nem romance. Simplesmente poesia com P grande, brotando do solo natal, inconscientemente. Como uma planta.

O manifesto que Oswald de Andrade publica encontrará nos que leem (essa ínfima minoria) escárnio, indignação e mais que tudo — incompreensão. Nada mais natural e mais razoável: está certo. O grupo que se opõe a qualquer ideia nova, a qualquer mudança no ramerrão das opiniões correntes é sempre o mesmo: é o que vaiou o *Hernani* de Victor Hugo, o que condenou nos tribunais Flaubert e Baudelaire, é o que pateou Wagner, escarneceu de Mallarmé e injuriou Rimbaud. Foi esse espírito retrógrado que fechou o *Salon* oficial aos quadros de Cézanne, para o qual Millerand pede hoje as honras do Panthéon; foi inspirado por ele que se recusou uma praça de Paris para o Balzac de Rodin. É o grupo dos novos-ricos da Arte, dos empregados públicos da literatura, Acadêmicos de fardão, Gênios das províncias, Poetas do *Diário Oficial*. Esses defendem as suas posições, pertencem à maçonaria da Camaradagem, mais fechada que a da política; agarram-se às tábuas desconjuntadas das suas reputações: são os bonzos dos templos consagrados, os santos das capelinhas literárias. Outros, são a massa gregária dos que não compreendem, na inocência da sua curteza, ou no afastamento forçado das coisas do espírito. Destes falava Rémy de Gourmont quando se referia a "*ceux qui ne comprennent pas*". Deixemo-los em paz, no seu contentamento obtuso de pedra bruta, ou de muro de taipa, inabalável e empoeirado.

Para o glu-glu desses perus de roda, só há duas respostas: ou a alegre combatividade dos moços, a verve dos entusiasmos triunfantes, ou para o ceticismo e o aquoibonismo dos já descrentes e cansados, o refúgio de que falava o mesmo Gourmont, no Silêncio das Torres (das Torres de marfim, como se dizia).

Maio, 1924

por ocasião da
*descoberta do Brasil**

* Na edição de 1925 [*Pau Brasil*], a frase iniciava-se com a dedicatória "A Blaise Cendrars", suprimida na edição de 1945 [*Poesias Reunidas O. Andrade*]. (H. C.)

escapulário

No Pão de Açúcar
De Cada Dia
Dai-nos Senhor
A Poesia
De Cada Dia

falação

O Cabralismo. A civilização dos donatários. A Querência e a Exportação.

O Carnaval. O Sertão e a Favela. Pau Brasil. Bárbaro e nosso.

A formação étnica rica. A riqueza vegetal. O minério. A cozinha. O vatapá, o ouro e a dança.

Toda a história da Penetração e a história comercial da América. Pau Brasil.

Contra a fatalidade do primeiro branco aportado e dominando diplomaticamente as selvas selvagens. Citando Virgílio para os tupiniquins. O bacharel.

País de dores anônimas. De doutores anônimos. Sociedade de náufragos eruditos.

Donde a nunca exportação de poesia. A poesia emaranhada na cultura. Nos cipós das metrificações.

Século vinte. Um estouro nos aprendimentos. Os homens que sabiam tudo se deformaram como babéis de borracha. Rebentaram de enciclopedismo.

A poesia para os poetas. Alegria da ignorância que descobre. Pedr'Álvares.

Uma sugestão de Blaise Cendrars: — Tendes as locomotivas cheias, ides partir. Um negro gira a manivela do desvio rotativo em que estais. O menor descuido vos fará partir na direção oposta ao vosso destino.

Contra o gabinetismo, a palmilhação dos climas.

A língua sem arcaísmos. Sem erudição. Natural e neológica. A contribuição milionária de todos os erros.

Passara-se do naturalismo à pirogravura doméstica e à kodak excursionista.

Todas as meninas prendadas. Virtuoses de piano de manivela.

As procissões saíram do bojo das fábricas.

Foi preciso desmanchar. A deformação através do impressionismo e do símbolo. O lirismo em folha. A apresentação dos materiais.

A coincidência da primeira construção brasileira no movimento de reconstrução geral. Poesia Pau Brasil.

Contra a argúcia naturalista, a síntese. Contra a cópia, a invenção e a surpresa.

Uma perspectiva de outra ordem que a visual. O correspondente ao milagre físico em arte. Estrelas fechadas nos negativos fotográficos.

E a sábia preguiça solar. A reza. A energia silenciosa. A hospitalidade.

Bárbaros, pitorescos e crédulos. Pau Brasil. A floresta e a escola. A cozinha, o minério e a dança. A vegetação. Pau Brasil.

* Nesta seção, ao pôr em versos textos históricos dos cronistas sobre o Brasil, Oswald de Andrade optou pela ortografia arcaica em quase todos os casos. Sendo assim, não realizamos, especificamente nos poemas que a compõem, a atualização ortográfica. (N. C.)

HISTÓRIA DO BRASIL*

PERO VAZ CAMINHA

a descoberta

Seguimos nosso caminho por este mar de longo
Até a oitava da Paschoa
Topamos aves
E houvemos vista de terra

os selvagens

Mostraram-lhes uma gallinha
Quasi haviam medo della
E não queriam pôr a mão
E depois a tomaram como espantados

primeiro chá

Depois de dansarem
Diogo Dias
Fez o salto real

as meninas da gare

Eram tres ou quatro moças bem moças e bem gentis
Com cabellos mui pretos pelas espadoas
E suas vergonhas tão altas e tão saradinhas
Que de nós as muito bem olharmos
Não tinhamos nenhuma vergonha

hospedagem

Porque a mesma terra he tal
E tam favoravel aos que a vam buscar
Que a todos agazalha e convida

chorographia*

Tem a forma de hua harpa
Confina com as altissimas serras dos Andes
E fraldas do Perú
As quaes são tão soberbas em cima da terra
Que se diz terem as aves trabalho em as passar

salubridade

O ser ella tam salutifera e livre de enfermidades
Procede dos ventos que cruzam nella
E como todos procedem da parte do mar
Vem tam puros e coados
Que nam somente nam danam
Mas recream e accrescentam a vida do homem

* Na edição de 1945, temos, no verso 2, "terras" no lugar de "serras" e, no verso 3, "faldas" no lugar de "fraldas". Consideramo-las como erros tipográficos e optamos pelas formas que coincidem com o texto histórico. (N. C.)

systema hydrographico

As fontes que ha na terra sam infinitas
Cujas aguas fazem crescer a muytos e muy grandes rios
Que por esta costa
Assi da banda do Norte como do Oriente
Entram no mar oceano

paiz do ouro

Todos tem remedio de vida
E nenhum pobre anda pelas portas
A mendigar como nestes Reinos

natureza morta

A esta fruita chamam Ananazes
Depois que sam maduras tem um cheiro muy suave
E come-se aparados feitos em talhada
E assi fazem os moradores por elle mais
E os tem em mayor estima
Que outro nenhum pomo que aja na terra

riquezas naturaes

Muitos melões* pepinos romans e figos
De muitas castas
Cidras limões e laranjas
Uma infinidade
Muitas cannas daçucre
Infinito algodam
Tambem ha muito páo brasil
Nestas capitanias

festa da raça

Hu certo animal se acha tambem nestas partes
A que chamam Preguiça
Tem hua guedelha grande no toutiço
E se move com passos tam vagarosos
Que ainda que ande quinze dias aturado
Não vencerá distancia** de hu tiro de pedra

* Como a forma "metaes", que integra as duas edições consultadas, destoa do conjunto na enumeração que compõe o poema, resgatamos "melões", que consta do texto histórico. (N. C.)
** Suprimimos o artigo "a", que antecede "distância" na edição de 1945, pautando-nos pelo texto histórico e pela edição de 1925. (N. C.)

O CAPUCHINHO CLAUDE D'ABBEVILLE

a moda

Les femmes n'ont point la lèvre percée
Mais en récompense
Elles ont les oreilles trouées
Et elles s'estiment aussi braves
Avec des rouleaux de bois dedans les trous
Que font les dames de pardeça
Avec leurs grosses perles et riches diamants

cá e lá

Cette coustume de marcher nud
Est merveilleusement difforme et deshonneste
N'estant peut estre si dangereuse
Ni si attrayante
Que les nouvelles inventions
Des dames de pardeça
Qui ruinent plus d'âmes
Que ne le font les filles indiennes

o paiz

Il y a une fontaine
Au beau milieu
Particulière en beauté
Et en bonté
Des eaux vives et très claires
Rejaillissent dicelle

Et ruissellet* dedans la mer
Estant environnée
De palmiers guyacs myrtes
Sur lesquels
On voit souvent
Des monnes et guenons

* Não incorporamos a correção — "ruissellent" — realizada na edição de 1945, pautando-nos pelo texto histórico e pela edição de 1925. (N. C.)

paisagem

Cultivam-se palmares de cocos grandes
Principalmente à vista do mar

as aves

Ha aguias de sertão
E emas tão grandes como as de Africa
Umas brancas e outras malhadas de negro
Que com uma aza levantada ao alto
Ao modo de vela latina
Correm com o vento

amor de inimiga

Posto que alguma
Pelo amor que lhe tem
Solta tambem o preso
E se vae com elle pera suas terras

prosperidade de são paulo

Ao redor desta villa
Estão quatro aldeias de gentio amigo
Que os padres da Companhia doutrinam
Fóra outro muito
Que cada dia desce do sertão

FERNÃO DIAS PAES

carta

Partirei
Com quarenta homens brancos afóra eu
E meu filho
E quatro tropas de mossos meus
Gente escoteyra com polvora e chumbo

Vossa Senhoria
Deve considerar que este descobrimento
É o de maior consideração
Em rasam do muyto rendimento
E tambem esmeraldas

FREI MANOEL CALADO

civilização pernambucana*

As mulheres andam tão louçãs
E tão custosas
Que não se contentam com os tafetas
São tantas as joias com que se adornam
Que parecem chovidas em suas cabeças e gargantas
As perolas rubis e diamantes

Tudo são delicias
Não parece esta terra senão um retrato
Do terreal paraizo

* Na edição de 1945, as duas estrofes foram acopladas. (N. C.)

J. M. P. S.
(da cidade do porto)

vicio na fala

Para dizerem milho dizem mio
Para melhor dizem mió
Para peor pió
Para telha dizem têia
Para telhado dizem teado
E vão fazendo telhados*

* Este verso não faz parte do texto histórico do cronista J. M. P. S.; é uma criação do próprio Oswald de Andrade. (N. C.)

PRÍNCIPE DOM PEDRO

carta ao patriarcha

Tendo pensamenteado toda a noite
Assentei passar revista aos Granadeiros
Assim se os enxergar esta tarde no Rossio
Não assente ver Bernarda

Encumbi ao Miquilina
E ao Major do Regimento dos Pardos
Para virem me dar parte
De tudo que se disser pelos Botequins

Estimarei que approve esta medida
E assento que melhores
E mais fieis e adherentes á causa do Brasil
Do que os Pardos meus amigos
Ninguem

POEMAS DA COLONIZAÇÃO

a transação

O fazendeiro criara filhos
Escravos escravas
Nos terreiros de pitangas e jabuticabas
Mas um dia trocou
O ouro da carne preta e musculosa
As gabirobas e os coqueiros
Os monjolos e os bois
Por terras imaginárias
Onde nasceria a lavoura verde do café

fazenda antiga

O Narciso marcineiro
Que sabia fazer moinhos e mesas
E mais o Casimiro da cozinha
Que aprendera no Rio
E o Ambrósio que atacou Seu Juca de faca
E suicidou-se
As dezenove pretinhas grávidas

negro fugido

O Jerónimo estava numa outra fazenda
Socando pilão na cozinha
Entraram
Grudaram nele
O pilão tombou
Ele tropeçou
E caiu
Montaram nele

o recruta

O noivo da moça
Foi para a guerra
E prometeu se morresse
Vir escutar ela tocar piano
Mas ficou para sempre no Paraguai

caso

A mulatinha morreu
E apareceu
Berrando no moinho
Socando pilão

o gramático

Os negros discutiam
Que o cavalo sipantou
Mas o que mais sabia
Disse que era
Sipantarrou

o medroso

A assombração apagou a candeia
Depois no escuro veiu com a mão
Pertinho dele
Ver se o coração ainda batia

cena

O canivete voou
E o negro comprado na cadeia
Estatelou de costas
E bateu coa cabeça na pedra

o capoeira

— Qué apanhá sordado?
— O quê?
— Qué apanhá?
Pernas e cabeças na calçada

medo da senhora

A escrava pegou a filhinha nascida
Nas costas
E se atirou no Paraíba
Para que a criança não fosse judiada

levante

Contam que houve uma porção de enforcados
E as caveiras espetadas nos postes
Da fazenda desabitada
Uivam* de noite
No vento do mato

* Recuperamos a forma correta "Uivam", registrada pelo autor no exemplar da edição de 1925, dedicado a Mário de Andrade, no qual fora grafado "Mivam", corrigido indevidamente para "Miavam" na edição de 1945. (N. C.)

a roça

Os cem negros da fazenda
Comiam feijão e angu
Abóbora chicória e cambuquira
Pegavam uma roda de carro
Nos braços

azorrague

— Chega! Peredoa!
Amarrados na escada
A chibata preparava os cortes
Para a salmoura

relicário

No baile da Corte
Foi o Conde d'Eu quem disse
Pra Dona Benvinda
Que farinha de Suruí
Pinga de Parati
Fumo de Baependi
É comê bebê pitá e caí

senhor feudal

Se Pedro Segundo
Vier aqui
Com história
Eu boto ele na cadeia

SÃO MARTINHO

noturno

Lá fora o luar continua
E o trem divide o Brasil
Como um meridiano

prosperidade

O café é o ouro silencioso
De que a geada orvalhada
Arma torrefações ao sol
Passarinhos assoviam de calor
Eis-nos chegados à grande terra
Dos cruzados agrícolas
Que no tempo de Fernão Dias
E da escravidão
Plantaram fazendas como sementes
E fizeram filhos nas senhoras e nas escravas
Eis-nos diante dos campos atávicos
Cheios de galos e de reses
Com porteiras e trilhos
Usinas e igrejas
Caçadas e frigoríficos
Eleições tribunais e colônias

paisagem

O cafezal é um mar alinhavado
Na aflição humorística dos passarinhos
Nuvens constroem cidades nos horizontes dos carreadores
E o fazendeiro olha os seus 800.000 pés coroados

bucólica

Agora vamos correr o pomar antigo
Bicos aéreos de patos selvagens
Tetas verdes entre folhas
E uma passarinhada nos vaia
Num tamarindo
Que decola para o anil
Árvores sentadas
Quitandas vivas de laranjas maduras
Vespas

escola rural

As carteiras são feitas para anõezinhos
De pé no chão
Há uma pedra negra
Com sílabas escritas a giz
A professora está de licença
E monta guarda a um canto numa vara
A bandeira alvinegra de São Paulo
Enrolada no Brasil

pae negro

Cheio de rótulos*
Na cara nas muletas
Pedindo duas vezes a mesma esmola
Porque só enxerga uma nuvem de mosquitos

* Na edição de 1945, temos "rótulas". As duas opções são possíveis e não se pode afirmar com segurança se ocorre erro tipográfico em uma ou na outra. (N. C.)

assombração

6 horas
O Domingos Papudo
E a besta preta
Nadando no vento

lei

Depois da criação do município novo
Plantado depressa nas ruas de poeira
Os bebês inumeráveis da colônia
Serão registados em Pradópolis

tragédia passional

Hoje acendem velas
Na cruz no mato
E há uma inscrição
Dizendo que o cadáver da moça
Foi achado nel Rio del'Onza

morro azul

Passarinhos
Na casa que ainda espera o Imperador
As antenas palmeiras escutam Buenos Aires
Pelo telefone sem fios
Pedaços de céu nos campos
Ladrilhos no céu
O ar sem veneno
O fazendeiro na rede
E a Torre Eifel noturna e sideral

o violeiro

Vi a saída da lua
Tive um gosto singulá
Em frente da casa tua
São vortas que o mundo dá

mate chimarão*

Depois da churrascada
Ao fogo e ao vento
O cavaleiro do gado
Trouxe ouro em pó
E uma cuia festiva
Para sorvermos a digestão

a laçada

O Bento caiu como um toro**
No terreiro
E o médico veiu de Chevrolé
Trazendo um prognóstico
E toda a minha infância nos olhos

* Consideramos a forma "chimarão", que consta nas duas edições, como um registro da oralidade. (N. C.)
** Na edição de 1945, esta forma foi corrigida para "touro". Optamos por "toro", usada na edição de 1925, considerando o registro da oralidade que predomina nesta seção. (N. C.)

versos de dona carrie

A neblina nos segue como* um convidado
Mas há um clarão para as bandas de Loreto
Cafezais
Cidades
Que a Paulista recorta
Coroa colhe e esparrama em safras
A nova poesia anda em Goffredo
Que nos espera de Forde
Numa roupa clara de** fazenda
É ele quem cuida da plantação
E organiza a serraria como um poema
O time feminino nos bate
Mas Cendrars faz a última carambola
Soldado de todas as guerras
Foi ele quem salvou a França na Champagne
E os homens na partida de bilhar daquela noite
Terraço
Rede
Paineiras pelo céu
As estrelas de Gonçalves Dias

* Consideramos um erro tipográfico a forma "com", usada na edição de 1945. (H. C.)
** Consideramos "da", usada na edição de 1945, como um erro tipográfico. (H. C.)

metalúrgica

1.300° à sombra dos telheiros retos
12.000 cavalos invisíveis pensando
40.000 toneladas de níquel amarelo
Para sair do nível das águas esponjosas
E uma estrada de ferro nascendo do solo
Os fornos entroncados
Dão o gusa e a escória
A refinação planta barras
E lá embaixo os operários
Forjam as primeiras lascas de aço

ᚱᚹ ᛚ

3 de maio

Aprendi com meu filho de dez anos
Que a poesia é a descoberta
Das coisas que eu nunca vi

poema do santuário

Já estive diversas vezes na Aparecida
Onde há uma velha luta
Que é uma antiga disputa
Entre duas casas comerciais
Que querem ao mesmo tempo ser
Na ladeira de sol
A Verdadeira Casa Verde

ditirambo

Meu amor me ensinou a ser simples
Como um largo de igreja
Onde não há nem um sino
Nem um lápis
Nem uma sensualidade

sol

Uma vez fui a Guará
A Guaratinguetá
E agora
Nesta hora de minha vida
Tenho uma vontade vadia
Como um fotógrafo

guararapes

Japoneses
Turcos
Miguéis
Os hotéis parecem roupas alugadas
Negros como num compêndio de história pátria
Mas que sujeito loiro

walzertraum

Aqui dá arroz
Feijão batata
Leitão e patarata
Passam 18 trens por dia
Fora os extraordinários
E o trem leiteiro
Que leva leite para todos os bebês do Rio de Janeiro
Apitos antigos apitam
Sentimentalmente
Eu gosto dos santuários
Das viagens
E de alguns hotéis
O Bertolini's em Nápoles
O d'Angleterre em Caen
Onde Brummel morreu
O hotel da Viúva Fernando na Aparecida
E um hotel sem nome
Na fronteira de Portugal
Onde uma mulher bonita
Quis fazer pipi
Pela primeira vez

fim e começo

A noite caiu com licença da Câmara
Se a noite não caísse
Que seriam dos lampiões?

cidade

Foguetes pipocam o céu quando em quando
Há uma moça magra que entrou no cinema
Vestida pela última fita
Conversas no jardim onde crescem bancos
Sapos
Olha
A iluminação é de hulha branca
Mamães estão chamando
A orquestra rabecoa na mata

bonde

O transatlântico mesclado
Dlendlena e esguicha luz
Postretutas e famias sacolejam

vadiagem mística

Passei quase toda a manhã na Basílica
Rezando e olhando
Vi dois casamentos
Bentos
De fraque
O sacristão chama-se Seu Bentinho
E a gente logo que sai da igreja

Cai no rio espraiado
O hoteleiro de meu hotel
Tem cor de medalha de pescoço
E conta-me que já houve cafezais
Nos pastos
Nos bambuzais
Se eu me casasse
Queria uma orquestra
Bem besta

poema da cachoeira

É a mesma estação rente do trem
Toda de pedra furadinha
Meu pai morou alguns anos aqui
Trabalhando
Um dia liquidou
Ativo passivo
Cinco galinhas
E deram-lhe uma passagem de presente
Para que eu nascesse em São Paulo
Como não houvesse estrada de rodagem
Ele foi na de ferro
Comprando frutas pelo caminho

carro-restaurante

Portugal ao longo do Tejo
Para dentro de Portugal
Casas amontoadas no dia azul
Um queijo da Estrela
Figos e estrelas

Creme Brasil
Indústria Vassourense
Doce de leite
Água de Caxambu
A natureza
Sobre a mesa

nova iguaçu

Confeitaria Três Nações
Importação e Exportação
Açougue Ideal
Leiteria Moderna
Café do Papagaio
Armarinho União
No país sem pecados

agente

Quartos para famílias e cavalheiros
Prédio de 3 andares
Construído para esse fim
Todos de frente
Mobiliados em estilo moderno
Modern Style
Água telefone elevadores
Grande terraço sistema yankee
Donde se descortina o belo panorama
De Guanabara

capital da república

Temperatura de bolina
O orgulho de ser branco
Na terra morena e conquistada
E a saída para as praias calçadas
Arborizadas
A Avenida se abana com as folhas miúdas
Do Pau-Brasil
Políticos dormem ao calor do Norte
Mulheres se desconjuntam
Bocas lindas
Sujeitos de olheiras brancas
O Pão de Açúcar artificial

CARNAVAL

nossa senhora dos cordões

Evoé
Protetora do Carnaval em Botafogo
Mãe do rancho vitorioso
Nas pugnas de Momo
Auxiliadora dos artísticos trabalhos
Do barracão
Patrona do livro de ouro
Protege nosso querido artista Pedrinho
Como o chamamos na intimidade
Para que o brilhante cortejo
Que vamos sobremeter à apreciação
Do culto povo carioca
E da Imprensa Brasileira
Acérrima defensora da Verdade e da Razão
Seja o mais luxuoso novo e original
E tenha o veredictum unânime
No grande prélio
Que dentro de poucas horas
Se travará entre as hostes aguerridas
Do Riso e da Loucura

na avenida

A banda de clarins
Anuncia com os seus clangorosos sons
A aproximação do impetuoso cortejo
A comissão de frente
Composta
De distintos cavaleiros da boa sociedade
Rigorosamente trajados
E montando fogosos corcéis

Pede licença de chapéu na mão
20 crianças representando de vespas
Constituem a guarda de honra
Da Porta-Estandarte
Que é precedida de 20 damas
Fantasiadas de pavão
Quando 40 homens do coro
Conduzindo palmas
E artisticamente fantasiados de papoulas
Abrem a Alegoria
Do Palácio Floral
Entre luzes elétricas

SECRETÁRIO DOS AMANTES

I

Acabei de jantar um excelente jantar
116 francos
Quarto 120 francos com água encanada
Chauffage central
Vês que estou bem de finanças
Beijos e coices de amor

II

Bestão querido
Estou sofrendo
Sabia que ia sofrer
Que tristeza este apartamento de hotel

III

Granada é triste sem ti
Apesar do sol de ouro
E das rosas vermelhas

IV

Mi pensamiento hacia Medina del Campo
Ahora Sevilla envuelta en oro pulverizado
Los naranjos salpicados de frutos
Como una dádiva a mis ojos enamorados
Sin embargo que tarde la mía

V

Que alegria teu rádio
Fiquei tão contente
Que fui à missa
Na igreja toda gente me olhava
Ando desperdiçando beleza
Longe de ti

VI

Que distância!
Não choro
Porque meus olhos ficam feios

POSTES DA LIGHT

pobre alimária

O cavalo e a carroça
Estavam atravancados no trilho
E como o motorneiro se impacientasse
Porque levava os advogados para os escritórios
Desatravancaram o veículo
E o animal disparou
Mas o lesto carroceiro
Trepou na boleia
E castigou o fugitivo atrelado
Com um grandioso chicote

anhangabaú

Sentados num banco da América folhuda
O cowboy e a menina
Mas um sujeito de meias brancas
Passa depressa
No Viaduto de ferro

jardim da luz

Engaiolaram o resto dos macacos
Do Brasil
Os repuxos desfalecem como velhos
Nos lagos
Almofadinhas e soldados
Gerações cor-de-rosa
Pássaros que ninguém vê nas árvores
Instantâneos e cervejas geladas
Famílias

o fera

Ei-lo sentado num banco de pedra
Pálido e polido
Como a Cleópatra dos sonetos
Espera as pequenas ingênuas
Que passam de braços
De bruços
Já se esqueceu do retrato na Polícia
Tem a consciência tranquila
Dum legislador

fotógrafo ambulante

Fixador de corações
Debaixo de blusas
Álbum de dedicatórias
Maquereau

Tua objetiva pisca-pisca
Namora
Os sorrisos contidos
És a glória

Oferenda de poesia às dúzias
Tripeça dos logradouros públicos
Bicho debaixo da árvore
Canhão silencioso do sol

a procissão

Os chofers ficam zangados
Porque precisam estacar diante da pequena procissão
Mas tiram os bonés e rezam
Procissão tão pequenina tão bonitinha
Perdida num bolso da cidade
Bandeirolas
Opas verdes
Crianças detentoras de primeiros prêmios
De bobice
Vão passo a passo
Bandeirolas
Opas verdes
Um andor nos ombros mulatos
De 4 filhas alvíssimas de Maria
Nossa Senhora vai atrás
Um milagre de equilíbrio
Mas o que mais eu gosto
Nesta procissão
É o Espírito Santo
Dourado
Para inspirar os homens
De minha terra
Bandeirolas
Opas verdes
O padre satisfeito
De ter parado o trânsito
Com Nosso Senhor nas mãos
E um dobrado atrás

escola berlites

Todos os alunos têm a cara ávida
Mas a professora sufragete
Maltrata as pobres datilógrafas bonitas
E detesta
    The spring
        Der Frühling*
                La primavera scapigliata
Há uma porção de livros pra ser comprados
A gente fica meio esperando
As campainhas avisam
As portas se fecham

É formoso o pavão?
De que cor é o Senhor Seixas?
Senhor Lázaro traga-me tinta
Qual é a primeira letra do alfabeto?
Ah!

atelier

Caipirinha vestida por Poiret
A preguiça paulista reside nos teus olhos
Que não viram Paris nem Piccadilly
Nem as exclamações dos homens
Em Sevilha
À tua passagem entre brincos

* Nas duas edições, "Frühling" está com "f" minúsculo. (H. C.)

Locomotivas e bichos nacionais
Geometrizam as atemosferas nítidas
Congonhas descora sob o pálio
Das procissões de Minas

A verdura no azul klaxon
Cortada
Sobre a poeira vermelha*

Arranha-céus
Fordes
Viadutos
Um cheiro de café
No silêncio emoldurado

música de manivela

Sente-se diante da vitrola
E esqueça-se das vicissitudes da vida

Na dura labuta de todos os dias
Não deve ninguém que se preze
Descuidar dos prazeres da alma

Discos a todos os preços

* Verso suprimido na edição de 1945. (H. C.)

a europa curvou-se ante o brasil

7 a 2
3 a 1
A injustiça de Cette
4 a 0
2 a 1
2 a 0
3 a 1
E meia dúzia na cabeça dos portugueses

linha no escuro

É fita de risada
A criançada hurla como o vento
Mas os cotovelos se encontram
Se acotovelam e se apalpam

Mãos descem na calada da lua quadrângula
Enquanto a orquestra cavalos e letreiros galopam

Entre saias uma lixa humana se arredonda
Mas quando amanhece
A mulher qualquer
Desaparece

pronominais

Dê-me um cigarro
Diz a gramática
Do professor e do aluno
E do mulato sabido

Mas o bom negro e o bom branco
Da Nação Brasileira
Dizem todos os dias
Deixa disso camarada
Me dá um cigarro

biblioteca nacional

A Criança Abandonada
O doutor Coppelius
Vamos com Ele
Senhorita Primavera
Código Civil Brasileiro
A arte de ganhar no bicho
O Orador Popular
O Polo em Chamas

o combate

O altifalante parece um palhaço
Mexem toalhas
No ringue verde e amarelo
Benedito ataca e coloca
Diretos direitos

Mas a sabedoria dos clinches destrói*
A rádio bandeirantes cinematiza a** 100 léguas
Vamos gritar
Levou às cordas o branco
Espatifemos as palhetas no ar
Mais um
Que bicho
Desfaleceu
Sob o céu que é uma bandeira azul

Grandes cágados elétricos processionam
A noite cai
Como um swing

aperitivo

A felicidade anda a pé
Na Praça Antônio Prado
São 10 horas azuis
O café vai alto como a manhã de arranha-céus
Cigarros Tietê
Automóveis
A cidade sem mitos

ideal bandeirante

Tome este automóvel
E vá ver o Jardim New-Garden
Depois volte à Rua da Boa Vista

* Verso suprimido na edição de 1945. (N. C.)
** Consideramos a supressão do "a", na edição de 1945, como um erro tipográfico. (H. C.)

Compre o seu lote
Registe a escritura
Boa firme e valiosa
E more nesse bairro romântico
Equivalente ao célebre
Bois de Boulogne
Prestações mensais
Sem juros

o ginásio

Escutai o tenor boxeur Romão Gonçalves
Desafiador sem medo de Spalla e Benedito
Trenador de Jack Johnson e do bravo Carpentier
Conforme a fotografia
Vinde todos à Rua Padre João Manuel
Na Penha
Trenar ao ar livre
As senhoritas encontrarão
A Exma. Sra. Carlota Argentina boxista
E os marmanjos verão Romão
Detentor do recorde do mundo
De cantar e nadar vestido ao mesmo tempo
Acompanhado por uma banda de música
Como se pode ver no cinema
E diante dos Reis da Bélgica
E outros reis*

* Verso suprimido na edição de 1945. (H. C.)

digestão

A couve mineira tem gosto de bife inglês
Depois do café e da pinga
O gozo de acender a palha
Enrolando o fumo
De Barbacena ou de Goiás
Cigarro cavado
Conversa sentada

reclame

Fala a graciosa atriz
Margarida Perna Grossa
Linda cor — que admirável loção
Considero lindacor o complemento
Da toalete feminina da mulher
Pelo seu perfume agradável
E como tônico do cabelo garçone
Se entendam todas com Seu Fagundes
Único depositório
Nos E.U. do Brasil*

bengaló

Bicos elásticos sob o jérsei
Um maxixe escorrega dos dedos morenos
De Gilberta
Janela
Sotas e ases desertaram o céu das estrelas de rodagem
O piano fox-trota

* Verso suprimido na edição de 1945. (H. C.)

Domingaliza
Um galo canta no território do terreiro
A campainha telefona
Cretones
O cinema dos negócios
Planos de comprar um forde
O piano fox-trota
Janela
Bondes

passionária

Meu amigo
Foi-me impossível vir hoje
Porque Armando veiu comigo
Como se foras tu
Necessito muito de algum dinheiro
Arranja-mo
Deixo-te um beijo na porta
Da garçoniere
E sou a sinceridade

hípica

Saltos records
Cavalos da Penha
Correm jóqueis de Higienópolis
Os magnatas
As meninas
E a orquestra toca
Chá
Na sala de cocktails

ROTEIRO DAS MINAS

convite

São João del Rei
A fachada do Carmo
A igreja branca de São Francisco
Os morros
O córrego do Lenheiro

Ide a São João del Rei
De trem
Como os paulistas foram
A pé de ferro

imutabilidade

Moça bonita em penca
Sete Lagoas
Sabará
Caetés
O córrego que ainda tem ouro
Entre a estação e a cidade
E o mequetrefe
Vai tocar viola nas vendas
Porque a bateia está ali mesmo

traituba

O sobrado parecia uma igreja
Currais
E uma e outra árvore
Para amarrar os bois
O pomar de toda fruta
E a passarinhada
Joá na roça de milho
Carros de fumo puxados por 12 bois
Codorna tucano perdiz araponga
Jacu nhambu juriti

semana santa

A matraca alegre
Debaixo do céu de comemoração
Diz que a Tragédia passou longe
O Brasil é onde o sangue corre
E o ouro se encaixa
No coração da muralha negra
Recortada
Laminada
Verde

procissão do enterro

A Verônica estende os braços
E canta
O pálio parou
Todos escutam
A voz na noite
Cheia de ladeiras acesas

simbologia

Abrahão tem bigodes pretos
E sabia que Deus colocava o Anjo atrás dele
Isaac é inocente pequeno e nuzinho

Os homens que carregam o caixão
Estão todos de branco
E descalços

O soldado romano
É zangadíssimo
E tem cabelo na cara

O padre saiu para a rua
De dentro de um quadro antigo

são josé del rei

Bananeiras
O sol
O cansaço da ilusão
Igrejas
O ouro na serra de pedra
A decadência

sábado de aleluia

Serpentes de fogo procuram morder o céu
E estouram
A praça pública está cheia
E a execução espera o arcebispo
Sair da história colonial

Longe vai tempo soltaram a lua
Como um balão de dentro da serra

Judas balança caído numa árvore
Do céu doirado e altíssimo

Jardins
Palmeiras
Negros

bumba meu boi

Descolocado
Arrebentado
Vai saí
A companhia do arraiá
Da Boa Sorte
Sob o estandarte
A tourada dança
Na música noturna

ressurreição

Um atropelo de sinos processionais
No silêncio
Lá fora tudo volta
À espetaculosa tranquilidade de Minas

menina e moça

Gostei de todas as festas
Porque esse negócio de missa
E procissão
É só para os olhares
Vou agora triste no trem
Com aquela paixão
No coração
Vou emagrecer
Junto às palmeiras
Malditas
Da fazenda

casa de tiradentes

A Inconfidência
No Brasil do ouro
A história morta
Sem sentido
Vazia como a casa imensa
Maravilhas coloniais nos tetos
A igreja abandonada
E o sol sobre muros de laranja
Na paz do capim

chagas dória

Picassos na parede branca
E mais nada
Sob o teto de caixões
Mas na sacristia
Uma imagem barbuda
Arregalada de santidade
Me espera como uma criança de colo

mapa

Ibitiruna
Campos sertanejos
Carmo da Mata
Tartária
E a máquina de brincadeira
Que corre dois dias
Atrás da barra do Paraopeba

capela nova

Salão Mocidade
Hotel do Chico
Uma igreja velha e cor-de-rosa
Na decoração dos bananais
Dos coqueirais

documental

É o Oeste no sentido cinematográfico
Um pássaro caçoa do trem
Maior do que ele
A estação próxima chama-se Bom Sucesso
Floresta colinas cortes
E súbito a fazenda nos coqueiros
Um grupo de meninas entra no film

paisagem

Na atemosfera violeta
A madrugada desbota
Uma pirâmide quebra o horizonte
Torres espirram do chão ainda escuro
Pontes trazem nos pulsos rios bramindo
Entre fogos
Tudo novo se desencapotando

longo da linha

Coqueiros
Aos dois
Aos três
Aos grupos
Altos
Baixos

santa quitéria

Palmas imensas
Sobem dos caules ocultos
Cercas e cavalos
E a raça que se apruma

aproximação da capital

Trazem-nos poemas no trem
Azuis e vermelhos
Como a terra e o horizonte
É um hotel rigorosamente familiar
Que oferece vantagens reais
Aos dignos forasteiros
Havendo o máximo escrúpulo na direção da cozinha

Casas defendem o vosso próprio interesse
Proporcionando-vos uma economia
De 2$000, de 3$000

Impermeáveis
Borzeguins
Pijamas

barreiro

Estradas de rodagem
E o canto dos meninos azuis da Gameleira
A paisagem nos abraça
Pontes
Alvenaria
Ninhos
Passarinhos
A escola e a fazenda de duzentos anos

canção do vira

Coa comade pode
Pode
Quá o quê
Afinca
Afinca

lagoa santa

Águas azuis no milagre dos matos
Um cemitério negro
Ruas de casas despencando a pique
No céu refletido

viveiro

Bananeiras monumentais
Mas no primeiro plano
O cachorro é maior que a menina
Cor de ouro fosco
As casas do vale

São habitadas pela passarada matinal
Que grita de longe
Junto à Capela
Há um pintor
Marcolino de Santa Luzia

sabará

Este córrego há trezentos anos
Que atrai os faiscadores
Debaixo das serras
No fundo da bateia lavada
O sol brilha como ouro
Outrora havia negros a cada metro de margem
Para virar o rio metálico
Que ia no dorso dos burros
E das caravelas
Borba Gato
Os paulistas traídos
Sacrilégios
O vento

ouro preto

Vamos visitar São Francisco de Assis
Igreja feita pela gente de Minas
O sacristão que é vizinho da Maria Cana-Verde
Abre e mostra o abandono
Os púlpitos do Aleijadinho
O teto do Ataíde
Mas a dramatização finalizou
Ladeiras do passado

Esquartejamentos e conjurações
Sob o Itacolomi
Nos poços mecânicos policiados
Da Passagem
E em alguns maus alexandrinos
Só o Morro da Queimada
Fala do Conde de Assumar

congonhas do campo

Há um hotel novo que se chama York
E lá em cima na palma da mão da montanha
A igreja no círculo arquitetônico dos Passos
Painéis quadros imagens
A religiosidade no sossego do sol
Tudo puro como o Aleijadinho

Um carro de boi canta como um órgão

ocaso

No anfiteatro de montanhas
Os profetas do Aleijadinho
Monumentalizam a paisagem
As cúpulas brancas dos Passos
E os cocares revirados das palmeiras
São degraus da arte de meu país
Onde ninguém mais subiu

Bíblia de pedra sabão
Banhada no ouro das minas

LOYDE BRASILEIRO

canto do regresso à pátria

Minha terra tem palmares
Onde gorjeia o mar
Os passarinhos daqui
Não cantam como os de lá

Minha terra tem mais rosas
E quase que mais amores
Minha terra tem mais ouro
Minha terra tem mais terra

Ouro terra amor e rosas
Eu quero tudo de lá
Não permita Deus que eu morra
Sem que volte para lá

Não permita Deus que eu morra
Sem que volte pra São Paulo
Sem que veja a Rua 15
E o progresso de São Paulo

tarde de partida

Casas embandeiradas
De janelas
De Lisboa
Terremoto azul
Fixado
Nos nevoeiros históricos
O teu velho verde
Crepita de verdura
E de faróis
Para o adeus da pátria quinhentista
E o acaso dos Brasis

cielo e mare

O mar
Canta como um canário
Um compatriota de boa família
Empanturra-se de uísque
No bar
Famílias tristes
Alguns gigolôs sem efeito
Eu jogo
Ela joga
O navio joga

o cruzeiro

Primeiro farol de minha terra
Tão alto que parece construído no céu
Cruz imperfeita
Que marcas o calor das florestas
E os discursos de 22 câmaras de deputados
Silêncio sobre o mar do Equador
Perto de Alfa e de Beta
Perdão dos analfabetos que contam casos
Acaso

rochedos de são paulo

Everest da Atlântida
Vanguarda calcinada do Brasil
Ponto geocêntrico eriçado
Contra as escarpas das ondas
Do Amazonas
Poleiro de Gago Coutinho

fernando de noronha

De longe pareces uma catedral
Gravando a latitude
Terra habitada no mar
Pela minha gente
Entre contrafortes e penedos vulcânicos
Uma ladeira coberta de mato
Indica a colônia lado a lado
Um muro branco de cemitério
A igreja
Quatro antenas
Levantadas entre a Europa e a América
Um farol e um cruzeiro

recife

Desenvoltura
Atração sinuosa
Da terra pernambucana
Tudo se enlaça
E absorve em ti
Retilínea
Cana-de-açúcar
Dobrada
Para deixar mais alta
Olinda
Plantada
Sobre uma onda linda
Do mar pernambucano

Mas os guindastes
São canhões que ficaram
Em memória
Da defesa da Pátria
Contra os holandeses

Chaminés
Palmares do cais
Perpendiculares aos hangars
E às broas negras d'óleo
Baluartes do progresso
Para render
Os velhos fortes
Carcomidos
Pelos institutos históricos

Na paisagem guerreira
Os coqueiros se empenacham
Como guerreiros em festa

Ruas imperiais
Palmeiras imperiais
Pontes imperiais
As tuas moradias
Vestidas de azul e de amarelo
Não contradizem
Os prazeres civilizados
Da Rua Nova
Nos teus paralelepípedos
Os melhores do mundo
Os automóveis
Do Novo Mundo
Cortam as pontes ancestrais
Do Capiberibe

Desenvoltura
Concreto sinuoso
Que liga o arranha-céu
À bençam das tuas igrejas
Velhas
De abençoar
A gente corajosa
De Pernambuco

escala

Sob um solzinho progressista
Há gente parada no cais
Vendo um guindaste
Dar tiro no céu

versos baianos

Tua orla Bahia
No benefício destas águas profundas
E o mato encrespado do Brasil

Uma jangada leva os teus homens morenos
De chapéu de palha
Pelos campos de batalha
Da Renascença

Este mesmo mar azul
Feito para as descidas
Dos hidroplanos de meu século
Frequentado rendez-vous
De Holandeses de Condes e de Padres
Que Amaralina atualiza
Poste das saudades transatlânticas
Riscando o ocre fotográfico
Entre Itapoã e o farol tropical

A bandeira nacional agita-se sobre o Brasil
A cidade alteia cúpulas
Torres coqueiros
Árvores transbordando em mangas-rosas
Até os navios ancorados

Forte de São Marcelo
Panela de pedra da história colonial
Cozinhando palmas

E as tuas ruas entreposto do Mundo
E os teus sertanejos asfaltados
E o teu ano de igrejas diferentes
Com um grande dia santo
Catedral da Bahia
Genuflexório dos primeiros potentados
Confessionário dos inquisidores
Catedral
És o fim do roteiro de Robério Dias
Romance de Alencar
Encadernado em ouro
Por dentro
Mais grandiosa que São Pedro
Catedral do Novo Mundo

Passa uma iole
Com remadores brancos
No ocaso indigesto
De Itaparica

noite no rio

O Pão de Açúcar
É Nossa Senhora da Aparecida
Coroada de luzes
Uma mulata passa nas Avenidas
Como uma rainha de palco
Talco
Fácil
Árvores sem emprego
Dormem de pé
Há um milhão de maxixes
Na preguiça
Que vem do fundo da colônia
Do mar
Da beleza de Dona Guanabara
Paixões de féerie
O Minas Gerais pisca para o Cruzeiro

anúncio de são paulo

Antes da chegada
Afixam nos ofices de bordo
Um convite impresso em inglês
Onde se contam maravilhas de minha cidade
Sometimes called the Chicago of South America

Situada num planalto
2.700 pés acima do mar
E distando 79 quilômetros do porto de Santos
Ela é uma glória da América contemporânea
A sua sanidade é perfeita
O clima brando

E se tornou notável
Pela beleza fora do comum
Da sua construção e da sua flora

A Secretaria da Agricultura fornece dados
Para os negócios que aí se queiram realizar

contrabando

Os alfandegueiros de Santos
Examinaram minhas malas
Minhas roupas
Mas se esqueceram de ver
Que eu trazia no coração
Uma saudade feliz
De Paris

LAUS DEO

PRIMEIRO CADERNO DO ALUNO DE POESIA OSWALD DE ANDRADE

Do mesmo autor:

Certas páginas das MEMÓRIAS SENTIMENTAIS DE JOÃO MIRAMAR

Diversos poemas de PAU BRASIL

TODAS AS DESCOMPOSTURAS.

PRIMEIRO CADERNO DO ALUMNO DE POESIA OSWALD DE ANDRADE
CAPITAL FEDEIRAL
CASTA: NHA DO PARÁ
NA BA: HIA TEM
FERNAMBUCO
CERGIPE
VENTO ZUL
GUANA: BARA
SECCA DO CEARÁ
GOYABADA
RIO PARAHI: BA
AMAZONA S
SANTA CATHARINA DO MENI NO JESUS
SANTOS
LÁ NO PIAUHI
SAN PAULO
PINHO DO PARANÁ
DIAMANTI: NA

ESCOLA : *Pau Brasil*

CLASSE : *primaria*

SEXO : *masculino*

PROFESSORA : *A Poesia*

Viva o anno de 1927

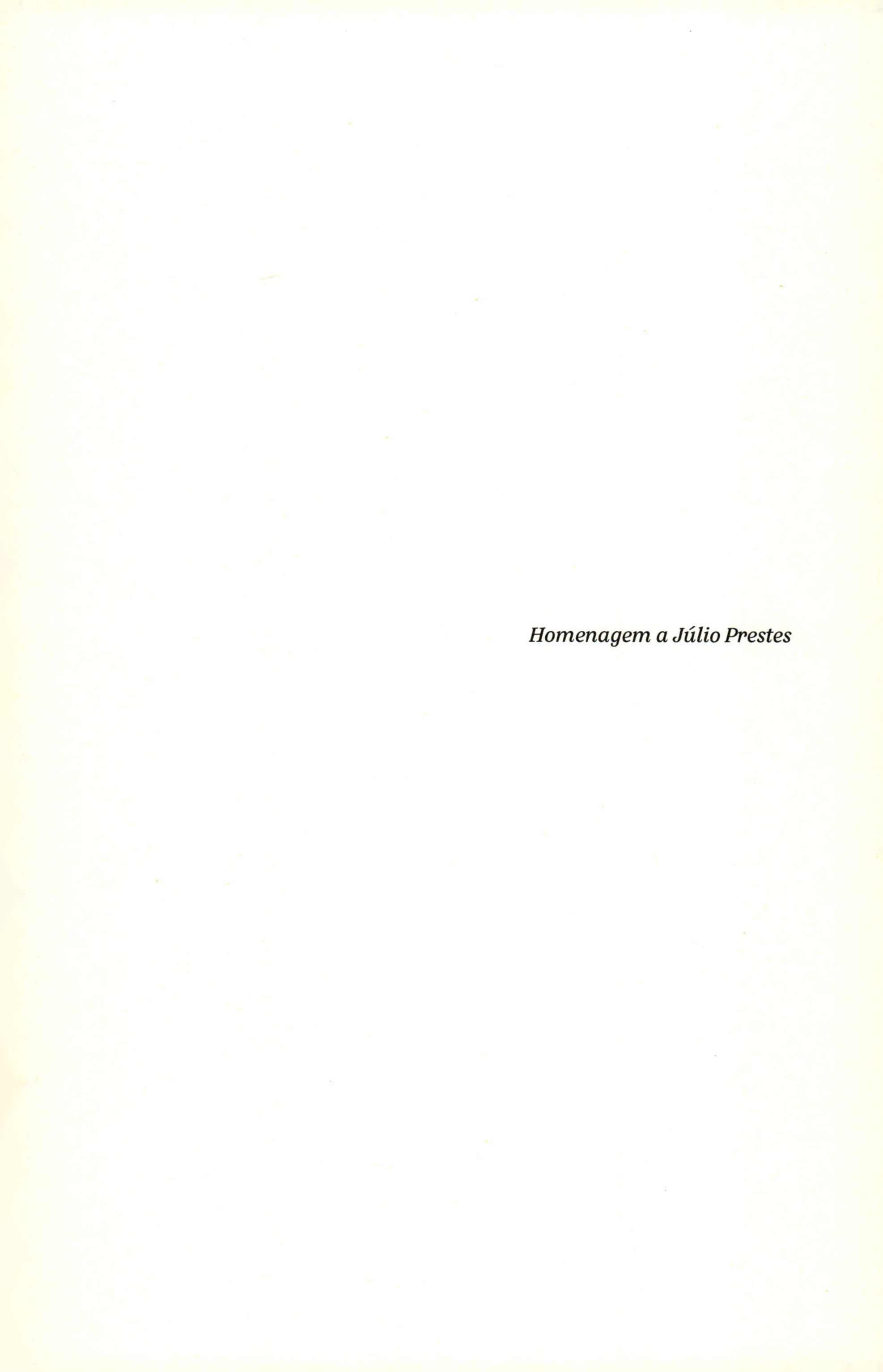

Homenagem a Júlio Prestes

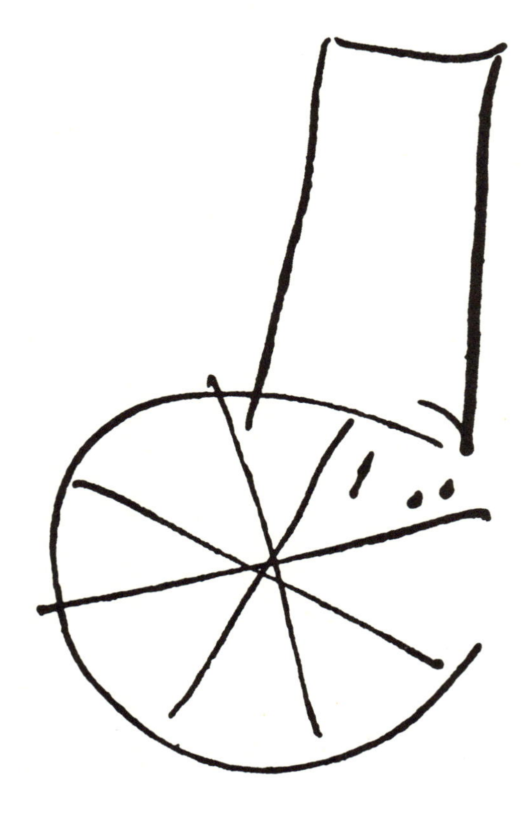

A René Bacharach

amor

Humor

A Mário Guastini

anacronismo

O português ficou comovido de achar
Um mundo inesperado nas águas
E disse: Estados Unidos do Brasil

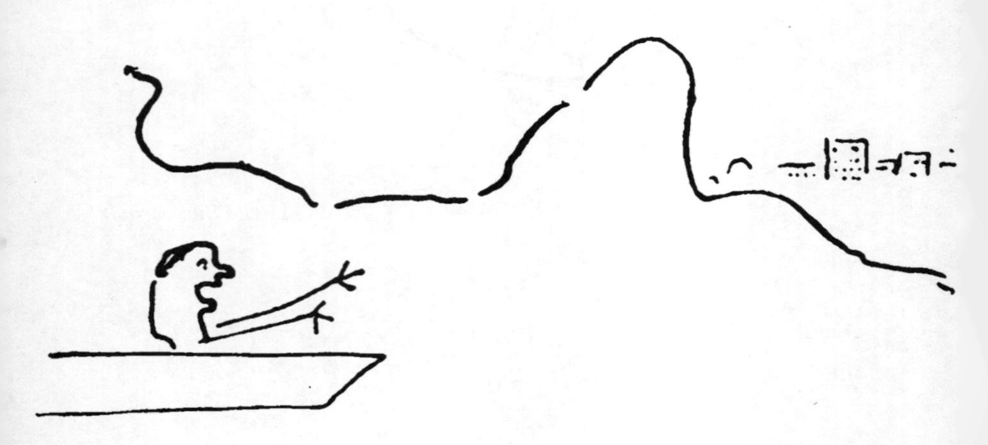

Para Noner

brinquedo

Roda roda São Paulo
Mando tiro tiro lá

Da minha janela eu avistava
Uma cidade pequena
Pouca gente passava
Nas ruas. Era uma pena

Desceram das montanhas
Carochinhas e pastoras
Por dormir em meus olhos
Me levaram pra abrolhos

Os bondes da Light bateram
Telefones na ciranda
Os automóveis correram
Em redor da varanda

Roda roda São Paulo
Mando tiro tiro lá

Brinquedos de comadre
Começaram pela vida
Pela vida começaram
Comadres e mexericos

Roda roda São Paulo
Mando tiro tiro lá

Depois entrou no brinquedo
Um menino grandão
Foi o primeiro arranha-céu
Que rodou no meu céu

Do quintal eu avistei
Casas torres e pontes
Rodaram como gigantes
Até que enfim parei

Roda roda São Paulo
Mando tiro tiro lá

Hoje a roda cresceu
Até que bateu no céu
É gente grande que roda
Mando tiro tiro lá

AS QUATRO GARES

Para o Álvaro Moreyra

infância

O camisolão
O jarro
O passarinho
O oceano
A visita na casa que a gente sentava no sofá

Ao Alcântara

adolescência

Aquele amor
Nem me fale

Ao Rubens

maturidade

O Sr. e a Sra. Amadeu
Participam a V. Excia.
O feliz nascimento
De sua filha
Gilberta

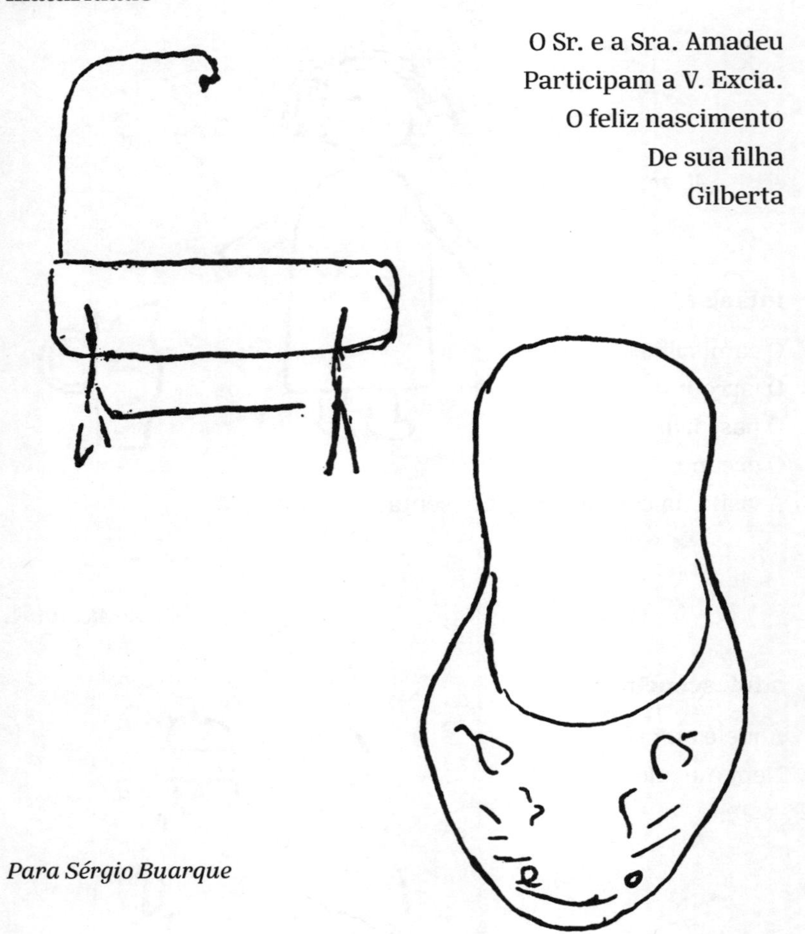

Para Sérgio Buarque

velhice

O netinho jogou os óculos
Na latrina

Ao Couto de Barros

meus sete anos*

Papai vinha de tarde
Da faina de labutar
Eu esperava na calçada
Papai era gerente
Do Banco Popular
Eu aprendia com ele
Os nomes dos negócios
Juros hipotecas
Prazo amortização
Papai era gerente
Do Banco Popular
Mas descontava cheques
No guichê do coração

* Este poema era composto por duas estrofes na edição de 1927 [*Primeiro caderno...*], acopladas na edição de 1945 [*Poesias Reunidas...*]. (N. C.)

Para Dolur

meus oito anos

Oh que saudades que eu tenho
Da aurora de minha vida
Das horas
De minha infância
Que os anos não trazem mais
Naquele quintal de terra
Da Rua de Santo Antônio
Debaixo da bananeira
Sem nenhum laranjais

Eu tinha doces* visões
Da cocaína da infância
Nos banhos de astro-rei
Do quintal de minha ânsia
A cidade progredia
Em roda de minha casa
Que os anos não trazem mais
Debaixo da bananeira
Sem nenhum laranjais

* Nas edições de 1927 e 1945, está grafado "doce". Pareceu-nos erro tipográfico, pois o adjetivo no singular não assume função estética especial neste verso, ao contrário do que sucede com o plural "laranjais", na última linha de cada uma das estrofes de que se compõe este poema-paródia. (H. C.)

Ao Tácito

fazenda

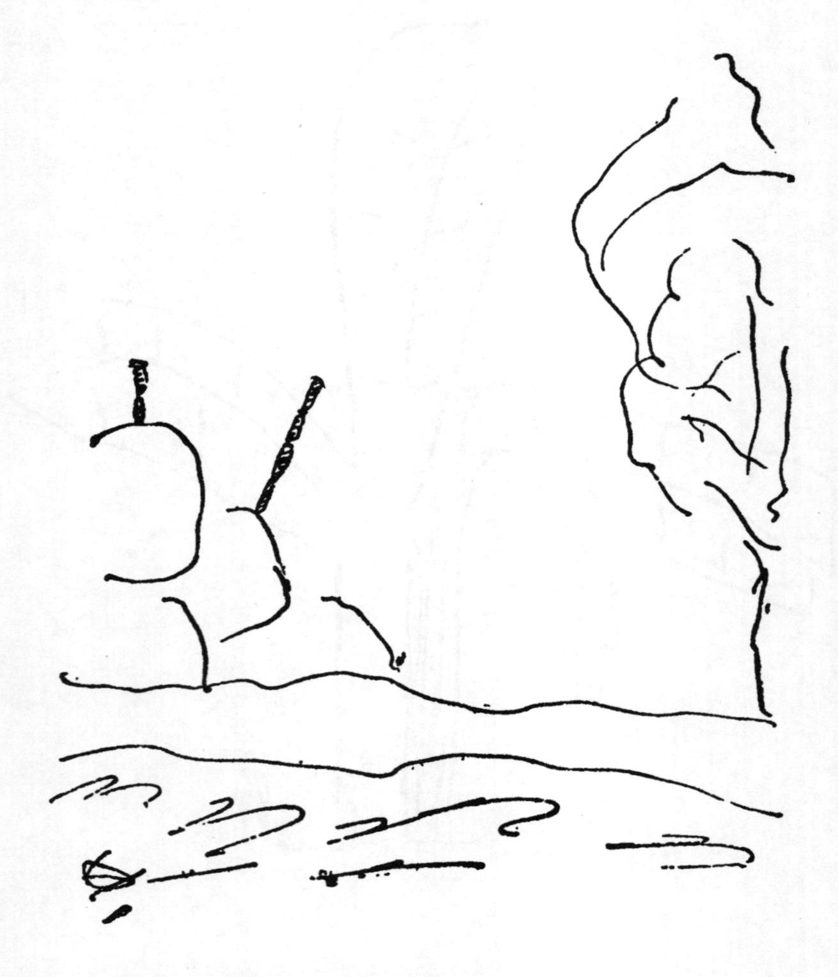

O mandacaru espiou a mijada da moça

enjambement do cozinheiro preto

Chamava-se José
José Prequeté
A sua habilidade consistia em matar de longe
Decepando com uma larga e certeira faca
Cabeças
De frangos, patos, marrecos, perus, enfim
Da galinhada solta no quintal
Do Grande Hotel Melo

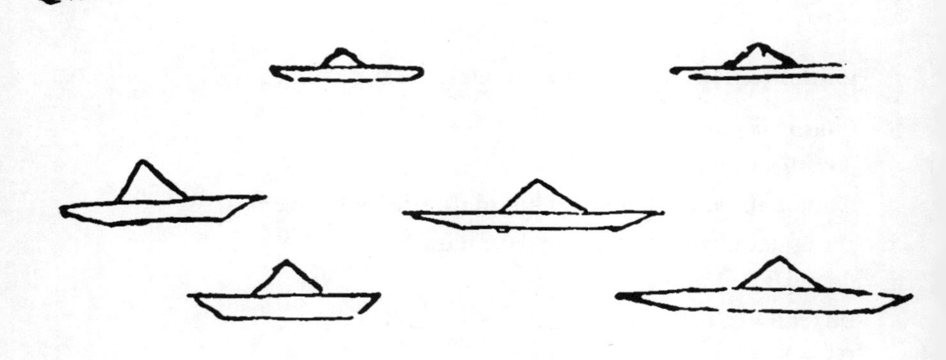

Ao Manuel Bandeira

história pátria

Lá vai uma barquinha carregada de
Aventureiros

Lá vai uma barquinha carregada de
Bacharéis

Lá vai uma barquinha carregada de
Cruzes de Cristo

Lá vai uma barquinha carregada de
Donatários

Lá vai uma barquinha carregada de
Espanhóis*

* Na edição de 1945, este verso precede o anterior. Preferimos a disposição da primeira edição. (H. C.)

Paga prenda
Prenda os espanhóis!

Lá vai uma barquinha carregada de
Flibusteiros

Lá vai uma barquinha carregada de
Governadores

Lá vai uma barquinha carregada de
Holandeses

Lá vem uma barquinha cheinha de índios
Outra de degradados
Outra de pau de tinta

Até que o mar inteiro
Se coalhou de transatlânticos
E as barquinhas ficaram
Jogando prenda coa raça misturada
No litoral azul de meu Brasil

Ao Prudentinho

o filho da comadre esperança

Era o deserdado
Tinha uma história de envenenamento
No passado
Magro pálido trabalhador
Mas agora à força de lutar
Conseguiu uma posição na Bolsa de Mercadorias
E comprou um chapéu novo

A Gofredo

balada do esplanada

Ontem à noite
Eu procurei
Ver se aprendia
Como é que se fazia
Uma balada
Antes d'ir
Pro meu hotel

É que este
Coração
Já se cansou
De viver só
E quer então
Morar contigo
No Esplanada

Eu qu'ria
Poder
Encher
Este papel
De versos lindos
É tão distinto
Ser menestrel

No futuro
As gerações
Que passariam
Diriam
É o hotel
Do menestrel

Pra m'inspirar
Abro a janela
Como um jornal
Vou fazer
A balada
Do Esplanada
E ficar sendo
O menestrel
De meu hotel

Mas não* há poesia
Num hotel
Mesmo sendo
'Splanada
Ou Grand-Hotel

Há poesia
Na dor
Na flor
No beija-flor
No elevador

Oferta

Quem sabe
Se algum dia
Traria
O elevador
Até aqui
O teu amor

* Consideramos "no", que consta das edições de 1927 e 1945, como erro tipográfico. (N. C.)

A D. Helena Rocha

hino nacional do paty do alferes

Eu quero fazer um poema
Rachado e sentimental
Como as bandas de música
De meu país natal

Eu quero fazer um poema
De todo amor que sinto*
Pelas palmas e bandeiras
Do meu país musical

Eu quero fazer um poema
De flores de papel
Laranja azul encarnado
Branco e verdeamarel

Ah! Meu Brasil! Meu Brasil!
Eu já morei foragido
Numa casa rota
Que dava para o mar
Já morei no Normandy de Deauville
E num navio de guerra**
E nas ruas e nos portos
Das terras mais imaginárias

* Na edição de 1945, temos "De todo o amor que eu sinto"; optamos pelo verso mais curto, como na edição de 1927, mais de acordo com o ritmo do poema em seu conjunto. (N. C.)
** Na edição de 1945, este verso e os seguintes formam outra estrofe, o que não está de acordo com o conjunto; por isso, optamos pela disposição adotada na edição de 1927. (N. C.)

Mas quando tu reapareces
Sob o hemisfério estrelado
Esperando a presidência do Dr. Washington Luís
Ó Brasil
Meu coração feito de pedaços
Se unifica
E proclama
A independência das lágrimas

Fico eleitor
Cidadão vacinado
Solto foguetes
Faço dobrados

Foi assim que eu vim parar
Nas paragens do Paty do Alferes
E conheci a charanga do Arcozelo
Toda cáqui e preta

Vocês não ouviram
A charanga da fazenda do Arcozelo

É generosa e metálica
A casa é cercada de velhas senzalas
Transfiguradas pela picareta do Progresso
A mão dura de Geraldo
Transformou a terra desabandonada
Numa pátria organizada de gado
E valorizou até as estrelas
Que dividem o céu em sindicatos
Para ouvir os ensaios
Da banda do Arcozelo

Arquitetos de minha terra
Vinde aprender arquitetura
No Paty do Alferes
Donas de casa
Que servis tolamente à francesa
Vinde provar
A mesa saborosa
Do Arcozelo
Bebedores
Vinde gozar a pinga do Paraíso

Como a gente levanta cedo nas fazendas
Antes das primeiras pinceladas
Da pintora Aurora
Vamos dormir
Para sair amanhã
Todos vestidos de cowboy
E dobrar as quebradas da serra
E deixar o sangue dos pássaros
E das cobras
Nos caminhos

Meu quarto tem três portas
Que dão para outros quartos
Onde ficam as portas
Dos quartos das assombrações

As estrelas são
A estrela-d'alva
A estrela do Pastor
Vésper
E o Anjo da Guarda de cada um

As assombrações são
A Inspiração e a Saudade
E os falecidos das nossas relações

Para ver tantas maravilhas
O Cruzeiro do Sul
Espetou a cabeça num morro
E mora aqui
Blefando a rotação universal

E tudo isso
É na fazenda do Arcozelo
Bois arados e rosas
Cavalos e motocicletas

Tudo existindo
E tocando a marcha do Progresso
Que aprenderam com a banda
Da fazenda do Arcozelo

Para Trolyr

brasil

O Zé Pereira chegou de caravela
E preguntou pro guarani da mata virgem
— Sois cristão?
— Não. Sou bravo, sou forte, sou filho da Morte
Teterê tetê Quizá Quizá Quecê!
Lá longe a onça resmungava Uu! ua! uu!
O negro zonzo saído da fornalha
Tomou a palavra e respondeu
— Sim pela graça de Deus
Canhem Babá Canhem Babá Cum Cum!
E fizeram o Carnaval

A Ribeiro Couto

poema de fraque

No termômetro azul
Da cidade comovida
Faze as pazes
Com a vida
Saúda respeitosamente
As famílias
Das janelas

Um balão vivo
Se destaca
Das primeiras estrelas
Lamparina às avessas
Do santuário da terra
Faze as pazes
As crianças brincam

À memória de meu pai

soidão

Chove chuva choverando
Que a cidade de meu bem
Está-se toda se lavando

Senhor
Que eu não fique nunca
Como esse velho inglês
Aí do lado
Que dorme numa cadeira
À espera de visitas que não vêm

Chove chuva choverando
Que o jardim de meu bem
Está-se todo se enfeitando

A chuva cai
Cai de bruços*
A magnólia abre o para-chuva
Para-sol da cidade
De Mário de Andrade
A chuva cai
Escorre das goteiras do domingo

* Na edição de 1945, falta este verso, o que consideramos erro tipográfico. (N. C.)

Chove chuva choverando
Que a casa de meu bem
Está-se toda se molhando

Anoitece sobre os jardins
Jardim da Luz
Jardim da Praça da República
Jardins das platibandas

Noite
Noite de hotel
Chove chuva choverando

A René Thiollier

crônica

Era uma vez
O mundo

BALAS DE ESTALO

A Sérgio Milliet

barricada

Todos os passarinhos da Praça da República
Voaram
Todas as estudantes
Morreram de susto
Nos uniformes de azul e branco
As telefonistas tiveram uma síncope de fios
Só as árvores não desertam
Quando a noite luz

Ao Mário

delírio de julho

É uma festa da Penha
Há patriotas no Brás e no Brasil

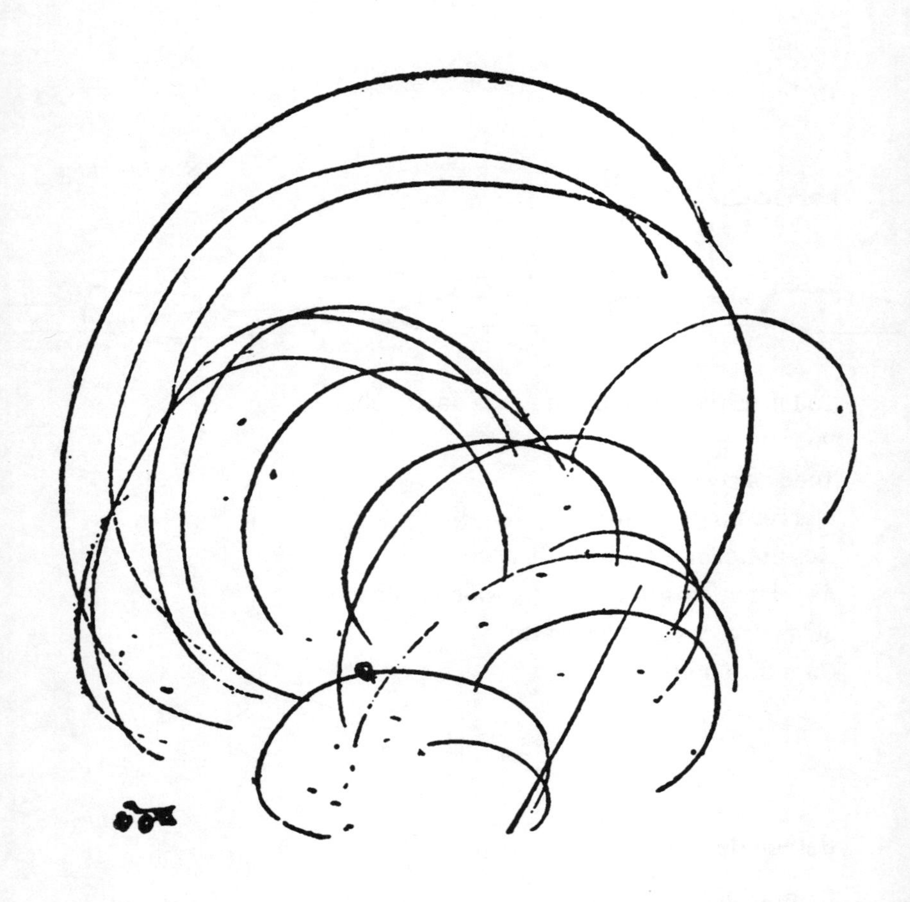

Ao Menotti

o pirata

Numa Cadillac azul
Ele chispou entre duas metralhadoras
E um negrão de chapelão no guidão

A Raphael Luís

canção da esperança
de
15 de novembro de 1926

O céu e o mar
Atira anil
No meu Brasil

Sobre a cidade
Flutua
A bandeira do Porvir

Cada árvore
De estanho
Plantada
Espera
A passagem
Da carruagem
Do presidente
Do Brasil

O céu e o mar
Atira anil
No meu Brasil

Sobre a cidade
Flutua
A bandeira do Porvir

E o povo
Ansioso
Airoso

Sacode no ar
A palheta
Da Esperança
Vendo o dia
Tropical
Que vai passar
Na carruagem
Dos destinos
Do Brasil

À saída da Câmara
Pela boca ardente
De um estudante
Jorra a esperança
Do grandioso
E desordeiro
Povo Brasileiro

E os dragões impacientes
Nos cavalos impacientes
Esperam impacientes
Que o acadêmico exponha
A dedicação
Da gente brasileira
Pelo seu Presidente

Ao lado
Tendo na mão
Espalmada
Os 14 versos brancos
Duma Vitória-Régia
Destaca-se

A Rainha dos Estudantes
Dos Estados Unidos do Brasil

É uma mocinha
Como a futura mãe-pátria

Lá fora as árvores dragonas sacodem os penachos pesados
Dizendo que sim verde

Os cavalos esperam
Os dragões esperam
O povo esperam
Que passe no anil
Entre filas
Do mar e do céu
O Presidente
Do Brasil

LAUS NOSSA SENHORA DA APARECIDA

DESENHOS DO AUTOR

CÂNTICO DOS CÂNTICOS PARA FLAUTA E VIOLÃO

oferta

Saibam quantos este meu verso virem
Que te amo
Do amor maior
Que possível for

canção e calendário

Sol de montanha
Sol esquivo de montanha
Felicidade
Teu nome é
Maria Antonieta d'Alkmin

No fundo do poço
No cimo do monte
No poço sem fundo
Na ponte quebrada
No rego da fonte
Na ponta da lança
No monte profundo
Nevada
Entre os crimes contra mim
Maria Antonieta d'Alkmin

Felicidade forjada nas trevas
Entre os crimes contra mim
Sol de montanha
Maria Antonieta d'Alkmin

Não quero mais as moreninhas de Macedo
Não quero mais as namoradas
Do senhor poeta
Alberto d'Oliveira
Quero você
Não quero mais
Crucificadas em meus cabelos
Quero você

Não quero mais
A inglesa Elena
Não quero mais
A irmã da Nena
Não quero mais
A bela Elena
Anabela
Ana Bolena
Quero você

Toma conta do céu
Toma conta da terra
Toma conta do mar
Toma conta de mim
Maria Antonieta d'Alkmin

E se ele vier
Defenderei
E se ela vier
Defenderei
E se eles vierem
Defenderei
E se elas vierem todas
Numa guirlanda de flechas
Defenderei
Defenderei
Defenderei

Cais de minha vida
Partida sete vezes
Cais de minha vida quebrada
Nas prisões
Suada nas ruas
Modelada
Na aurora indecisa dos hospitais

Bonançosa bonança

convite

Escuta este verso
Qu'eu fiz pra você
Pra que todos saibam
Qu'eu quero você

imemorial

Gesto de pudor de minha mãe
Estrela de abas abertas
Não sei quando começaste em mim
Em que idade
Em que eternidade
Em que revolução solar
Do claustro materno
Eu te trazia no colo
Maria Antonieta d'Alkmin

Te levei solitário
Nos ergástulos vigilantes da ordem intraduzível
Nos trens de subúrbio
Nas casas alugadas
Nos quartos pobres
E nas fugas

Cais de minha vida errada
Certeza do corsário
Porto esperado
Coral caído
Do oceano
Nas mãos vazias
Das plantas fumegantes

Mulher vinda da China
Para mim
Vestida de suplícios
Nos duros dorsos da amargura
Para mim
Maria Antonieta d'Alkmin

Teus gestos saíam dos borralhos incompreendidos
Que tua boca ansiosa
De criança repetia
Sem saber
Teus passos subiam
Das barrocas desesperadas
Do desamor
Trazias nas mãos
Alguns livros de estudante
E os olhos finais de minha mãe

alerta

Lá vem o lança-chamas
Pega a garrafa de gasolina
Atira
Eles querem matar todo amor
Corromper o polo
Estancar a sede que eu tenho d'outro ser
Vem de flanco, de lado
Por cima, por trás
Atira
Atira
Resiste
Defende

De pé
De pé
De pé
O futuro será de toda a humanidade

fabulário familiar

Se eu perdesse a vida
No mar
Não podia hoje
T'a ofertar
Os nevoeiros, as forjas, os Baependis

acalanto

Acuado pelos moços de forcado
Flibusteiro
Te descobri

Muitas vezes pensei que a felicidade sentasse à minha mesa
Que me fosse dada no locutório dos confessionários
Na hipnose* das bestas-feras
No salto-mortal das rodas-gigantes
Ela vinha intacta, silenciosa
Nas bandas de música
Que te anunciavam para mim
Maria Antonieta d'Alkmin

* No original [*Poesias Reunidas O. Andrade*], está "no hipnose". (H. C.)

Quando a luta sangrava
Nas feridas que sangrei
C'o alfinete na cabeça te deixei
Adormecida
No bosque
T'embalei
Agora te acordei

relógio

As coisas são
As coisas vêm
As coisas vão
As coisas
Vão e vêm
Não em vão
As horas
Vão e vêm
Não em vão

compromisso

Comprarei
O pincel
Do Douanier
Pra te pintar
Levo
Pro nosso lar
O piano periquito
E o Reader's Digest
Pra não tremer
Quando morrer

E te deixar
Eu quero nunca te deixar
Quero ficar
Preso ao teu amanhecer

dote

Te ensinarei
O segredo onomatopaico do mundo
Te apresentarei
Thomas Morus
Federico Garcia Lorca
A sombra dos enforcados
O sangue dos fuzilados
Na calçada das cidades inacessíveis

Te mostrarei meus cartões-postais
O velho e a criança dos Jardins Públicos
O tutu* de dançarina sobre um táxi
Escapados ambos da batalha do Marne
O jacaré andarilho
A amadora de suicídios
A noiva mascarada
A tonta do teatro antigo
A metade da Sulamita
A que o palhaço carregou no carnaval
Enfim, as dezessete luas mecânicas
Que precederam teu uno arrebol

* No original está, por engano, *tou-tou*. A grafia francesa correta é *tutu* (traje de dançarina). (H. C.)

marcha

Todos virão para o teu cortejo nupcial
A princesa Patoreba
Coroada de foguetes
A Senhora Dona Sancha
Que todos querem ver
O tangolomango
E seus mortos mastigados
Nas laboriosas noites processionais

Todos comparecerão
O camarada barbudo
O bobo alegre
O salvado de diversos pavorosos incêndios
O frade mau
O corretor de cemitérios
E onde estiver
O Pinta-Brava
Meu irmão
Tatá, Dudu, Popô, Sici, Lelé

Não quero sombra de cera
Nem noite branca de reza
Quero o velório pretoriano
De Sócrates
Não o bestiário
De Casanova
Não quero tochas
Não quero vê-las
Tatá, Dudu, Popó, Sici, Lelé
O tio da América
A igreja da Aparecida

O duomo de Milão
O trem, a canoa, o avião
Tudo darei às mesas anatômicas
Do mastigador de entranhas

himeneu

Para teu corpo
Construirei o dossel
Abrirei a porta submissa
Ligarei o rádio
Amassarei o pão

blackout

Girafas tripulantes
Em paraquedas
A mão do jaburu
Roda a mulher que chora
O leão dá trezentos mil rugidos
Por minuto
O tigre não é mais fera
Nem borboletas
Nem açucenas
A carne apenas
Das anêmonas*

* No original, está "anemônas". Adotamos, porém, a grafia consagrada "anêmonas", por nos parecer mais funcional dentro do esquema sonoro (rima quase toante com "apenas"). Todavia, "anemônas" pode ser intencional, pois, além de ter apoio etimológico, se integra ao metro de quatro sílabas dos três versos anteriores. Preferimos a leitura de maior rendimento estético, mesmo porque o poema não é de métrica regular. (H. C.)

Na espingarda
Do peixe-espada
Transcontinental ictiossauro
Lambe o mar
Voa, revoa
A moça enastra
Enforca, empala
À espera eterna
Do Natal

Desventra o ventre donde nasceu
A neutra equipe
Dos sem luar
No fundo, fundo
Do fundo mar

Da podridão
As sereias
Anunciarão as searas

mea culpa, lear

Na hora do fantasma
Entre corujas
Jocasta soluçou
O palácio de fósforo
Múltiplas janelas
Desmaiou

— Por que calaste os sinos?
Meu filho, filho meu!
— Dei, dei, dei
— Onde puseste os reinos e as vitórias
Que minha estranha serenidade prometia?
— Era usurpação. Paguei
— Passaste fome?
— Muitas vezes comi as marés de meu cérebro

encerramento e gran-finale

Nada te sucederá
Porque inerme deste o teu afeto
No soco do coração
Te levarei
Nas quatro sacadas fechadas
Do coração

Deixei de ser o desmemoriado das idades de ouro
O mago anterior a toda cronologia
O refém de Deus
O poeta vestido de folhagem
De cocos e de crânios
Alba
Alfaia
Rosa dos Alkmin
Dia e noite do meu peito que farfalha

A teu lado
Terei o mapa-múndi

Em minhas mãos infantes
Quero colher
O fruto crédulo das semeaduras
Darei o mundo
A um velho de juba
A seu procurador mongol
E a um amigo meu
Com quem pretenderam
Encarcerar o sol

Viveremos
O corsário e o porto
Eu para você
Você para mim
Maria Antonieta d'Alkmin

Para lá da vida imediata
Das tripulações de trincheira
Que hoje comigo
Com meus amigos redivivos
Escutam os assombrados
Brados de vitória
De Stalingrado

São Paulo, dezembro de 1942

O ESCARAVELHO DE OURO*

* Publicado pela primeira vez na *Revista Acadêmica* (Rio de Janeiro, ano XII, n. 68, pp. 12-3, jun. 1947). (N. C.)

Para Antonieta Marília

antena

Aqui todos bem
E aí?
Pega o coleóptero pentâmero
Lamelicórneo
Escarabídeo de negro marfim
Quem foi que pegou?
Tata! É meu!
O bizantino escaravelho

páscoa de giorgio de chirico

Quando te debruçares
Sobre a lívida ambiguidade
Nada será interrompido
Não estremecerá a estátua do físico
Nem a sacra estupidez
Nem a miragem
Nem a fraternidade ansiosa

Ninguém quis comprar o poeta

mistério gozoso

Abandonarás papai e mamãe
Pelo tênis de bordo
As asas sobrarão
No jazigo familiar
Correrá atrás da mentira
O anjo de pernas curtas

episódio

Eliminarás a doença e o bário
Restará o deleite dos homens
Porque foste o andrógino

a família do burrinho

— Vamos Joseph fugir
— Para onde Maria ir?
Joseph (jocoso) — I shall go to Jundi-ai ai!
— Depressa! Sela o Mangarito
Vamos com o vento Sul
Onde serei cesariada?
— No presepe
— Tenho medo da vaca
— Não chores darling! (terno) Sweepstake de Deus!
Maria — Caí na ilegalidade
Porque modéstia à parte
Trago uma trindade no ventre
Nesse tempo não havia ainda as irmãs Dione

Algumas palavras de inglês conhecendo
A família sagrada partiu
Sem saudades levar
Para as bandas do mar
Vermelho
Na poeira da madrugada
Cruzou um olival
O escaravelho

— Quantas dracmas serão precisas?
Exclamou o castiço esposo

Para esta viagem em torno da lei do mundo
Estamos no século III ou IV da fundação
De Roma
E só tenho *argent de poche*
— Não vá faltar Joseph
— Na verdade Deus ajuda...
(Os ricos)
— Sonhei que os serafins
Estão bordando uma estrela surda
Para Herodes não ver
Quero reis magos
Trenzinho e monjolo
E o retrato de Shirley Temple
Porque o menino vem
Este mundo salvar
O vento distribuía algodão pelos açudes
Joseph espancou o burrinho
E riu
— Belo mundo ele vem salvar!
(Já havia naquele tempo
Pouco leite para os bebês)
— Se faltar numerário
Eu carrego na centena do Mangarito
E dou um viva ao faraó Hitler...
(Antes que ele faça comigo
O Pogrom que fez com Moisés)
— Oportunista! gritou uma nuvem
Joseph fingiu que não ouvia
— A vida é um buraco
Enquanto não vier Maria
A socialização
Dos meios de produção

— Besta! gritou um anjo
São José seguiu pensando
Que os anjos geralmente são reacionários
E as nuvens provocadoras

fronteira

Quero estudar filosofia em Paris
Não pode ser
Só se o compadre Antunes te mandar
Mas a vida mesmo assim é boa
O compadre Antunes faliu
A vida é boa
O compadre Antunes morreu
Velho sino mudo
Que paras o teu ritmo no pânico
E aceleras os teus passos
Na sedição
A semente frutifica sem aviso
O mascarado encherá de guizos tua mesa farta
Não pode ser
Mesmo assim a vida é boa

Poeta nasceste compromissado com a liberdade
E inutilmente conheceste a Estrela do Pastor

o imigrado

Quando vieres de torna-viagem
Trarás a cabeça exangue
E a lembrança inútil
Dos que frequentaram o inferno

Trarás a cabeça
Como os caules amorfos
E teu coração beijará os perfumes da tarde

estrondam em ti as iaras

Desde Bilac
Somos internacionalistas e portugueses juniors
Gostamos de Camembert, do Nilo, de Frineia e de Marx
Carvões do mar
Náufragos entre sustos e paisagens
— I don't know my elders!
Desde Gonzaga
Somos pastores e desembargadores
Desde a Prosopopeia
Somos brasileiros

escafandro

Debalde
O homem foi ao bordel
A poesia ficou nua entre grades como um meridiano
Mas tu escalaste o missal das janelas
E libertaste a alga da Bíblia nas piscinas

o hierofante

Não há possibilidade de viver
Com essa gente
Nem com nenhuma gente
A desconfiança te cercará como um escudo
Pinta o escaravelho

De vermelho
E tinge os rumos da madrugada
Virão de longe as multidões suspirosas
Escutar o bezerro plangente

epitáfio n. 1

Sangras em cantos
Te arrancaram a gravata papillon
A flor do peito
Como a um croupier vendido
E diante do mundo
Leram a tua desonra
Porque não descerraste as maxilas do coração

buena-dicha

Há quatrocentos anos
Desceste no trópico de Capricórnio
Da tábua carbunculosa
Das velas
Que conduziam pelas negras estrelas
O pálido escaravelho
Das marés

Cada degredado era um rei
Magro insone incolor
Como o barro

Criarás o mundo
Dos risos alvares
Das cópulas infecundas

Dos fartos tigres
Semearás ódios insubmissos lado a lado
De ódios frustrados
Evocarás a humanidade, o orvalho e a rima
Nas lianas construirás o palácio termita
E da terra cercada de cerros
Balida de sinceros cincerros
Na lua subirás
Como a esperança

O espaço é um cativeiro

como um mole tufão

O imperador está com sinusite
No apartamento 522
Aqui d'el rei!
Viveste milênios
Bajulando a sinusite do imperador
Ou no oboé das barricadas
Nunca acrisolaste tua reputação bancária
Nem na Florença dos Medici
Em Bombaim ou Buenos Aires
Dentro daquele copo da China
Como uma flor de coral
Nunca consolidaste tua revolta
Sem atirar de supetão
Nos tiranos desprevenidos
Daí a tua híbrida
Reputação de jogador
Muita gente te amou sem ser amada

promontório

Que há por aí?
Amor
Chuvas ao longe
Jogo
Mormaço
Mentira
Radar

epitáfio n. 2

Não terás o carro dos triunfadores
Nem choros de escravos
Porque quiseste libertar os homens
Estacará diante de ti
A máscara da negação
Lutarás com a vida face a face
Sem subterfúgios nem dolo
E ficará o eco da tua queda

plebiscito

Venceu o sistema de Babilônia
E o garção de costeleta

Copacabana, 15.4.1946

POEMAS MENORES

erro de português

Quando o português chegou
Debaixo d'uma bruta chuva
Vestiu o índio
Que pena!
Fosse uma manhã de sol
O índio tinha despido
O português

1925

epitáfio

Eu sou redondo, redondo
Redondo, redondo eu sei
Eu sou uma redond'ilha
Das mulheres que beijei

Por falecer do oh! amor
Das mulheres de minh'ilha
Minha caveira rirá ah! ah! ah!
Pensando na redondilha

1925

hip! hip! hoover!

MENSAGEM POÉTICA DO POVO BRASILEIRO

América do Sul
América do Sol
América do Sal
Do Oceano

Abre a joia de tuas abras
Guanabara
Para receber os canhões do Utah
Onde vem o Presidente Eleito
Da Grande Democracia Americana
Comboiado no ar
Pelo voo dos aeroplanos
E por todos os passarinhos
Do Brasil

As corporações e as famílias
Essas já saíram para as ruas
Na ânsia
De o ver
Hoover!
E este país ficou que nem antes da descoberta
Sem nem um gatuno em casa
Para o ver
Hoover!

Mas que mania
A polícia persegue os operários
Até nesse dia
Em que eles só querem
O ver
Hoover!

Pode ser que a Argentina
Tenha mais farofa na Liga das Nações
Mais crédito nos bancos
Tangos mais cotubas
Pode ser

Mas digam com sinceridade
Quem foi o povo que recebeu melhor
O Presidente Americano
Porque, seu Hoover, o brasileiro é um povo de sentimento
E o senhor sabe que o sentimento é tudo na vida
Toque!

1928

Para o Germinal Feijó

glorioso destino do café

Pequena árvore
Cheia de xícaras
Te dei
Adubo
Trato
Colono
Céu azul
E tu deste
A safra
Dos meus anos fazendeiros

Depois deste
O desastre
E de borco no chão
Me recusei
A achar desgraçados os meus dias
Senti que como tu
Pequena árvore
Milhões de homens de minha terra

Haviam sido queimados
Decepados dos seus troncos
Para que se salvasse
Sobre a miséria de muitos
O interesse dos imperialismos
E se apaziguasse a gula
De seus sequazes tempestuosos

E deste
Em xícaras
O travo da tua cor madura
Senti no teu calor
Aquecido nos fogareiros pobres
O rubi da revolução

E como muitos me armei
Cavaleiro de ferro
Nos lençóis rasgados
Dos cortiços
E nas praças tumultuosas
E como tu pequena árvore debordada
Debordado do latifúndio
Saí ao encalço da felicidade da terra

1944

POEMAS DISPERSOS

o artista*

Cabeleira de chantage
Celebridade por hora e por táxi
Parlapatatão
Bombardino de barbeiro
Desafinação
No teu fundo fundo
A maroteira dos primeiros mestiços
Repousa como um índio
Sob a árvore nacional da confiança
Pires técnico
Da paulificação

o macaquinho e a senhora**

Um dia uma senhora
De rico parecer
Entrou num velho parque
A fim de espairecer

Olhou todas as flores
Era na Primavera
E pensou nos amores
Pois linda e moça ela era

Eis quando numa gaiola
Depara subitamente
Com feio e pelado bicho
O pobre macaco Clemente

* Publicado pela primeira vez na *Revista Novíssima* (São Paulo, v. II, n. 11, p. 32, ago.-set. 1925). (N. C.)
** Publicado pela primeira vez em Oswald de Andrade, *O santeiro do Mangue e outros poemas* (São Paulo: Globo; Secretaria de Estado da Cultura, 1991, pp. 111-3). (N. C.)

Vendo-a o filho de Deus
Sorri e se coça todo
Pula gira rodopia
Enfia a cabeça no lodo

Depois trepa, guincha, grita
E pinta o sete e o caneco
Ri-se, assovia, namora
E põe tudo em cacareco

A rica senhora sorri
Pra tal manifestação
Mas ao amor do macaco
Gelado é o seu coração

Desolado, cabisbaixo
Reflete o pobre Clemente
— Assim é a lei inflexível
Do meu destino inclemente!

Meses depois, a senhora
Das sedas e dos brilhantes
Regressa ao jardim perdido
Mas não volta como dantes

Na cidade em que vivia
Rebentou a revolução
E o seu querido partiu
À frente de um batalhão

Uma manhã ela viu
O belo amante enforcado
Só a graça e a riqueza
Lhe restam do ano passado

Ávida, ei-la que procura
O triste do macaquinho
Pra ver se ele inda se lembra
Como ficou perdidinho

Mas o Clemente não liga
Às joias, à seda, ao porte
Da grande e linda senhora.
É assim que muda a sorte!

Põe-se numa gostosa fruta
Preocupado a descascar
Enquanto ela dolorida
Procura o interessar

Moral

Inútil, minha senhora,
Seu macaquinho perdeu
Não troca ele uma banana
Por perfil de camafeu

Tarsila, bela Tarsila
Não vá entornar o caldo
Não perca tempo não perca
Case-se logo com o Oswaldo

BALAS DE ESTALO*

a bateria

Os revoltosos têm vinte anos
E brincam com os canhões alinhados e pardos
Os canhões atroaram o Anhangabaú
A noite inteira
No quartel do Carmo
Vai uma revoada de aves
Um tenente ensaia ao piano
Uma canção de guerra
Na manhã que começa
E lá fora
Sobre uma mesa da Antarctica
A cidade estende num mapa
Os seus quarteirões martirizados
Para um artilheiro cowboy

relatório

Como o presidente resistia heroicamente
O Comandante mandou que o tenente Prado
Se entrincheirasse na Avenida Rangel Pestana junto à Escola
[Normal
Depois quando as bocas de fogo da marinha
Do alto do Carmo
Tivessem explodido dez tiros certeiros
Sobre as porteiras revoltadas da Inglesa

* Os poemas a seguir foram publicados pela primeira vez em Oswald de Andrade, *Primeiro caderno do aluno de poesia Oswald de Andrade* (São Paulo: Globo; Secretaria de Estado da Cultura, 1991, pp. 56-9). (N. C.)

Que ele passasse com os seus homens
Na poeira do canhão
A fim de se tentar um ataque à Luz

paz

Não há mais canhões sobre São Paulo
Apenas o sangue dos fuzilados
Na Avenida Wilson
Nos hospitais vazios
Um e outro ferido que geme
O povo e as manifestações
No silêncio sem guarda cívica
E os trens aventureiros
Que buscam Porto Tibiriçá
Levando metralhadoras mulheres e soldados

canto da vitória

Sou o Potiguara da lenda
O homem cem o homem mil
Fui eu que penetrei na cidade
Em caixão de defunto
Andei vestido de frade e de freira
Tomei café no Triângulo
E de cima de meus aeroplanos
Destruí os ninhos de metralhadoras
Lutei corpo a corpo com a canalha
Na estação de Vila Mariana
E depois de afogada a maioria
Em sangue e lama
Passeei no Triângulo
Com meu uniforme luzido de parada

sol*

Há sol à beça
Sol aqui
E se você andar
Numa hora de sol dessas
Por todo o Brasil
Só encontra sol

Há sol em Porto Calvo
Há sol em Ponta Porã

No mar
Há sol

Se você atravessar o mar
E for naquelas cidades da Espanha
Está assim de sol

E por todo o Mediterrâneo há sol

E no Egito
E no deserto
Daquelas terras
Está cheio de sol

Só
De noite
É
Que não
Há sol

* Publicado pela primeira vez na *Revista de Antropofagia*, ano II, n. 1 (*Diário de S. Paulo*, São Paulo, p. 6, 17 mar. 1929). (N. C.)

meditação no horto*

Todas as árvores
Nossas florestas
Têm têm têm
Todas as árvores
Têm têm têm
Têm têm têm têm
Todas as árvores
Menos?
A do bem

pastoral**

A indiazinha do Brasil
Perguntou à modista de Paris
— E as saias?
— Cada vez mais compridas, minha filha
A indiazinha correu para a floresta
E foi consultar o pajé
Toda vexada
O pajé disse
— Que besteira!
E tirou as saias da indiazinha

Oswald 1929

* Publicado pela primeira vez na *Revista de Antropofagia*, ano II, n. 3 (*Diário de S. Paulo*, São Paulo, p. 6, 31 mar. 1929). (N. C.)
** Publicado pela primeira vez na *Revista do Livro* (Rio de Janeiro: MEC; INL, n. 36, pp. 154-5, 1º trim. 1969). (N. C.)

soneto*

Hora de ir pra janela
Ver a vida
E falar mal dos filhos

Crepúsculo
Dum crepúsculo
Que foi o dia paulista

São Paulo
Antigamente
Só tinhas minha mãe
Na sua saia de roda

A minha geografia
Era a cidade de Cotia
Donde vinha o homem
Do melado
Meu mapa-múndi
Era a casa

Um dia chegaram visitas
Foi um espanto
Dois homens
Fui correndo chamar meu pai
Eram oficiais de justiça

Hora de ir pra janela
Ver a vida
E falar mal dos filhos

Oswald 1929

* Publicado pela primeira vez na *Revista do Livro* (Rio de Janeiro: MEC; INL, n. 36, pp. 152-3, 1º trim. 1969). (N. C.)

peitinhos*
(poema da era pré-freudiana)

Seu Bonifácio gostava muito de comungar
E como ficava com o estômago fraco
Ia depois tomar café na casa de Dona Sarah
Que era em frente da Igreja

Numa manhã Dona Sarah apareceu com uma blusa de rendas
[sobre o corpo sem camisa

Seu Bonifácio quando chegou
Na hora da morte
Aos 78 anos
Comungou pela última vez
Delirando
Com os peitinhos nus de Dona Sarah

14.6.1929

* Este poema e os seguintes foram publicados pela primeira vez em Oswald de Andrade, *O santeiro do Mangue e outros poemas* (São Paulo: Globo; Secretaria de Estado da Cultura, 1991, pp. 113-4). (N. C.)

[...]*

Chupa chupa chupão
No coração
Você me cura

Eu amo
O belo sexo
De Você

Meus olhos madrugados
Meus olhos de casquette
Para a descoberta
Dos portos encobertos

Chupa chupa chupão
No coração
Ninguém me cura

poema besta

Que horas são
1 hora
Que horas são
2 horas
Que horas são
5 horas
Que horas são
Coração

* O manuscrito deste poema foi redigido em dois envelopes pequenos, duas estrofes em cada um, numerados no centro superior. Apenas o envelope que leva o número 4, em que o poeta retoma versos do poema inédito "A cidade acende lá embaixo [...]", está datado ("Oswald 29"), mas a data está riscada. O restante do poema não foi localizado. (N. C.)

canto do pracinha só*

Soldado
Resoluto e pequenino
Do Brasil

Levaste na tua sacola
As cores claras da aurora
Levaste no teu bornal
As cores quentes do sol
Levaste no teu fuzil
A fúlgida flor de anil
Da bandeira do Brasil
Para o mundo libertar

Nas noites do tombadilho
Quando pávido espiavas
As estrelas no plúmbeo mar
Por sobre o teu capacete
Um cruzeiro de prata
Fazia o sinal da cruz
Que tua mãe ensinou

Da torre negra e sombria
Do teu carro de assalto
Da baioneta calada
Da revolta artilharia
Da asa do teu avião
O facho da liberdade
Crepitou na epopeia
Alçado por tua mão

* Publicado pela primeira vez na *Revista Acadêmica* (Rio de Janeiro, ano XI, n. 66, pp. 78-9, nov. 1945). (N. C.)

Pracinha tu és povo
Calejado do Brasil
Carregas como um noivado
A morte no teu fuzil

Agora deita o teu peito
No regaço da Pátria
Conta, não fiques mudo
Brigaste em Castelnuovo
Subiste Montecastelo
Fala do boche sanhudo
Que te encontrou na batalha

Na hora letal e fria
Pegaste o porco nazista
Sangraste o porco fascista
Que pretendeu macular
O teu bocado de pão
O teu bocado de honra
O teu bocado de lar

Vou te contar a história
Do Zé Tedesco e do Fritz
Da Lurdinha e do Lurdão
Que metralhavam o chão
Onde eu estava deitado
A bala zunia pertinho
Matou Carlo e Chiquinho
Quebrou vidro, quebrou pedra
Queria o mundo acabar
Queria o mundo enlutar

Mas eu ouvia baixinho
A voz da Pátria falar

Caminha soldado
Pra frente da luta
Que a luta é vitória
É canto de glória
A morte recua
A morte respeita
Quem sabe lutar

Outros deixaste esperando
No comovido poema do lar

Não tenho família, não tenho
Ninguém pra me desvelar
Sou sozinho no mundo
Não tenho ninho nem lar
Amargo remoo a pena
Do homem que foi jogado
Na dura roda do azar

Não conheci pai e mãe
Não tenho por quem lutar
Se aqui ficar debruçado
Por mim ninguém vem chorar

Não, pracinha querido
Marcha pra frente da luta
A vida dos brasileiros
Depende do teu combate
Faze com que tua pátria

No fogo da confusão
O mundo inteiro arrebate

Nasceste no berço verde
Da terra de Castro Alves
Da terra de Patrocínio
Da terra que não suporta
Os ferros da escravidão

Luta, pracinha, luta
Contra toda tirania
Ataca o ódio, a inveja
Dilacera a vilania

Há tanta cobra na terra
Há tanta cobra no mar
Há tanta cobra no mundo
Tanto, tanto Calabar

Não, pracinha dorido
A cobra que está fumando
A todos há de vencer
A todos há de fumar
Tua missão é maior
Que a simples luta da guerra
Tua missão é tirar
Da ruína um mundo melhor

Vou teus irmãos convocar
João, pracinha do Norte
Pedro, pracinha do Sul
Antônio, de Mato Grosso

Ricardo, da Paraíba
Francisco, do Ceará
Negro do cais da Bahia
Mineiro de Sabará
Ofereço-te quarenta e quatro milhões
Novecentos e noventa e nove mil
Novecentos e noventa e nove irmãos
Que mais tu queres, brasileiro?

Conquistaste a atmosfera antes de conquistar a liberdade
Na passarela de Bartolomeu de Gusmão
Bebeste o leite
Dos seringais atolados do Amazonas
O sal que te nutre é do Rio Grande do Norte
A carne que te enrija é do Rio Grande do Sul
E no deserto antigo de Volta Redonda
Encastelaste as torres metálicas da siderurgia

A Pátria te promete os abraços do porvir
E te oferece a humilde oblata de sua grave realidade

Pátria lavada de lágrimas
Sangrada de suores
Atropelada pelos sicários do latifúndio
Gravada de rebeldias, de revoluções
Pátria dos coronéis que arcabuzaram a liberdade
Absurda pátria da mortalidade infantil
Dos patrões que mataram a vida
No seio das operárias tornadas infecundas
Pelas tarefas

Pátria trágica
Que dá maleita, isolamento, saudade e atropelo
E as farturas vertiginosas dos estômagos vazios
O ouro da tua bandeira
Não descora na linfa amarela dos rios
O teu verde não mais significa
A agonia das crianças empaludadas
E teu azul não beija apenas as grossas chagas
Que estrelam os mendigos dos caminhos
A tua noite não desce sempre
Sobre a tísica dos cortiços
A iluminação melancólica dos parques
E o prumo neutro dos arranha-céus

Pátria majestosa
Deste os Inconfidentes e os Andradas
Os grandes padres rebeldes
Roma, Caneca, Toledo e Rolim
Pátria das musas e das guerrilheiras
Bárbara Heliodora, Marília, Anita Garibaldi
Pátria eleita de Tomás Antônio Gonzaga
Pátria dos namorados, dos insubmissos e dos mártires

Fogueira de Antônio José
Alarma de Vila Rica
Proclamação do Ipiranga
Bandeira partida de Copacabana
Muralha queimada do III Regimento
Pátria de Luiz Carlos Prestes

Sou Felipe dos Santos
Sou o Zumbi dos Palmares

Sou Poti Camarão
Sou o sangue de Tiradentes
Sou o gládio da Sabinada
Sou o Farrapo do Sul
Comandei o grito vivo
Da Praieira de Pedro Ivo

Vem pracinha querido
Vem conosco lutar
Pra que possamos de vez
A maldade vencer
A injustiça quebrar

Irmãos teus caíram nas adustas miragens de El Alamein
Anunciando de longe a queda de Berlim
Agonizaram nas últimas casas da planície farpada de Sebastopol
Cobriram a terra com o manto de Stalingrado
E lançaram as ondas aurorais da Invasão

E por todas as casas tuas irmãs soluçaram alto
As insurgidas noivas que choram alto
Porque o choro do pobre é alto

Pracinha. São teus irmãos
Churchill, Truman
O eterno Franklin Delano Roosevelt
O trabalhista Atlee
O Camarada Prestes
O Marechal Stálin

São teus irmãos os pracinhas vermelhos
E os soldados nacionais de todas as pátrias

Gigantes que mostraram ser livres
Libertando os outros homens
Vingando a família humana que é a tua
Construindo no fogo as cidades inacessíveis
Madrid, Londres, Malta, Leningrado
E a capital que monta guarda ao túmulo
De Lenine
Moscou

Pracinha, tu és povo
Calejado de sofrer
Vem pracinha depressa
Vem com o povo lutar
Tua família é o Brasil

Carregas como um bordado
A história no teu marchar
Carregas como um noivado
A glória no teu fuzil

S. Paulo, 19.8.1945

POEMAS INÉDITOS

western*

I

Amo-te
Infinitamente

II

Serei tua alegria

III

O Mar está lindo
Tom de ouro
Saudades

Fica-lhe a graça
Dos gestos
Absolutos e errados
Sob o céu que é uma mamadeira azul

* Poema contemporâneo dos que constituem *Pau Brasil* (1925), integraria a seção "Secretário dos amantes". (N. C.)

HISTÓRIA DE JOSÉ RABICHO

NASCIDO EM 5 DE JANEIRO*

rabichão

O elefante do Jardim das Plantas
Os cabelos engomados do gigolô

guaraquibutim

Uma janela de hotel. Eu comendo laranja sentado na janela. Lá fora o mar.

o oceano

Eu brincava na areia. Uma charrete nos levava mole e azul. Um navio.

o camisolão

Passou a ser como um presente de boas-festas. Bem quente para o frio. E longo de enrolar os pés.

o jarro

No outro dia de meus anos alinhei os presentes sob a janela. A criada me deu um jarro esmaltado que ficou maior que todos e não tinha bacia. Passei o dia alinhando e esperando a gente que vinha jantar.

* Este poema, sua reescritura em prosa e os poemas seguintes são contemporâneos dos que constituem o *Primeiro caderno do aluno de poesia Oswald de Andrade* (1927). (N. C.)

as aves

As aves viviam na fazenda. De vez em quando vinham pela estrada de ferro. E saíam dum jacá na cozinha como de um banho de escuridão e cheirando galinhas.

começo

Quando ele fez um ano houve uma grande festa.

a madrugada da viagem

Acordaram-no ainda de noite. Ele levantou-se para tomar café. Estavam todos acordados. E as galinhas todas no quintal. Saíram num carro com as malas. A estação estava cheia de trens. E iluminada. Quando foi azulando o dia a estrela-d'alva estava ainda no céu e na terra.

o brasil

Ele gostava de ir vendo o Brasil pela plataforma do trem. Comeu farnel de galinha assada com farofa. Passou por cidades e a Aparecida. E depois foi subindo e descendo por entre serras mal enxutas com árvores e cascatas.

tias

As tias vieram à estaçãozinha nos buscar dando abraços.

primas

As primas quiseram dançar nos primeiros dias. Mas não havia pianista. Eu as acompanhava ao parque e ver o trem chegar com gente.

mês

Íamos ao bosque buscar musguinho. Comíamos doce de figo. Andávamos a cavalo de manhã. E cantávamos em coro a Protophonia do Guarani deitados no campo.

sabina, fábio e marcela

Deram-me os três para eu brincar. Eram negrinhos e filhos da cozinheira.

a habitação

Um dia ele trepou num caixote e espiou pela janelinha alta do quarto da criada. E viu a casa do vizinho, encerada e luxuosa com copos verdes arranjados no armário e uma toalha branca na mesa.

HISTÓRIA DE JOSÉ RABICHO

NASCIDO EM 5 DE JANEIRO [II]

Quando José Rabicho fez um ano, houve uma grande festa.

Tempos depois, ele já estava crescido e alinhava os presentes sob a janela da sala enorme de visitas. A criada tinha-lhe dado um jarro esmaltado que ficava maior que os outros e não tinha bacia.

As aves viviam na fazenda. De vez em quando vinham pela estrada de ferro. E saíam na cozinha de um jacá como de um banho de escuridão e cheirando galinhas.

Um dia ele recebeu um camisolão de presente de boas-festas. De noite envolveu os pés no camisolão e dormiu.

Levaram-no para uma praia. Ele comia laranja sentado na janela do hotel. Lá fora o mar. Uma charrete fofa passeava-o. Havia um navio no mar.

Quando voltou para a sua cidade natal, José Rabicho teve três negrinhos para brincar. Chamavam-se Fábio, Sabina e Marselhesa.

Um dia ele trepou no caixote e espiou pela janela alta do quarto da criada. E viu a casa do vizinho por dentro. Tinha copos verdes alaranjados no armário e uma toalha branca.

Como fosse madrugada de viagem, acordaram-no ainda de noite. Levaram-no para tomar café. Estavam todos acordados. E as galinhas todas no quintal. Subiram num carro com as malas. A estação estava cheia de trens. E iluminada.

Quando foi azulando o dia a estrela-d'alva desapareceu. Ele gostava de ir vendo o Brasil pela plataforma do trem. Comeram farnel de galinha assada com farofa. Passaram por cidades. E depois foram subindo e descendo por entre matas molhadas.

As tias vieram à estaçãozinha buscá-los com abraços. As primas quiseram dançar nos primeiros dias. Mas não havia pianista. Iam ver o trem chegar com gente. E passeavam todos no bosque procurando musguinho. Havia muito doce de figo. E cavalos rinchavam de manhã nas selas.

A volta à sua cidade natal foi assinalada pela quebra de um copo. Ele quebrou o copo ao chegar em casa. Mas não ralharam com ele.

E tinham armado um circo no quintal. O bairro onde morava José Rabicho agitou-se nessa época com a fundação do Grêmio Recreativo. Era uma sociedade de saraus que dava bailes para as moças e rapazes e representava pequenas comédias num teatrinho.

Convidaram-no para representar mas ele teve medo de afrontar o público.

Outras primas chegaram de repente da capital para visitar os pais de Rabichinho. Eram bonitas e elegantes. Havia uma loira. Eles foram ver juntos uma fábrica de eletricidade ao cair da noite e se prometeram em casamento.

Quando os hóspedes partiram, ele ficou escutando a sanfona do Tio Pedro que tocava todas as noites numa chácara em frente.

E decorou uma poesia engraçada para saber recitar.

Puseram-no num colégio e chegou do interior um primo grande chamado Goethe. Era muito instruído e tinha lido a Ilha Misteriosa.

Aos domingos, ele pedia dois mil réis e ia às touradas. E no dia seguinte descrevia para os colegas as proezas e os perigos da corrida.

O pai vinha buscá-lo todas as tardes e comprava anzóis numa venda.

Quando chegou o tempo dos balões e dos fogos de São João, Rabichinho apanhou uma febre que durou dois meses. Quando se levantou estava magro e todo mundo pensava que ele já tinha morrido.

Foi nesse tempo que lhe deram o livro dos Miseráveis de Victor Hugo e ele começou a brincar de barricada.

Como uma tia tivesse morrido levaram-no ao porto de Santos.

O porto de Santos era cheio de navios e tinha também algumas praias mas era preciso atravessar o canal numa barca para ver. Como estavam todos chorando e de luto não foram ver a praia.

Ao voltar para casa, Rabichinho ficou muito amigo dum menino chamado Fernão e começou a tomar groselha na venda dum espanhol.

Jantavam cedo em casa. 4 horas. Ele saía logo para a rua. Havia outros meninos filhos de vizinhos que o procuravam. Cada tempo trazia sua moda. Ora era tempo de pião, ora tempo de empinar papagaio. Às vezes, Rabichinho ia jogar foot-ball num club onde havia um negrinho chamado Campeão.

Um dia ele caiu e bateu a testa que ficou toda cheia de sangue. Veio uma porção de gente acompanhá-lo em casa. Sua mamãe levou um grande susto e proibiu-o de jogar mais foot-ball.

Sobre o foot-ball, de noite o Seu Leitão que veio fazer visita concordou com a mãe de Rabichinho que era muito perigoso. Era um jogo para gente bruta.

retrato do autor pelo ataíde

Ele faz o inverso
De Dirceu
Em verso
Desce das trufas da sua Cadillac
— A Cadillac glauca da Ilusão!
E penetra no Automóvel-Club de Mah-Jong
Entre uma carta ligeira
De Léger
E um rádio amoroso da Condessa Vênus
Distribui planos de usinas
E acende o arranha-céu
Da sua cultura Lincoln
Depois como não há mais vícios
A inventar
Diz ao seu velho cachimbo
De Old Bond
Que vai tomar Soda Waterman
Com o M. D. P.

poema pontifical

Vittel tanto de tanto
Cheguei da Suíça
O governo mandou pôr anil
No Lago Lemano
Sarei da doença
Morro da cura
Nesta Lorena que não vale
A de Guaratinguetá

dinamismo

Cabaret do Dilúvio
Herodes e Djanira
Atletas Helenos
Grandes atrações
Banda do Veríssimo
Verista
Grandes pecados
Madame Loth
Transformista
Pantomima aquática

Aquela estrela é uma bambinela errada neste palco terreno
É estrela de mar
E o teu beijo
Inquieta

A cidade acende lá embaixo
Invisível
Longe da cura
Dos mares descobertos
Dos portos encobertos
Para teus olhos madrugada
De casquete
Estrelas de mar
No palco terreno
A cidade acende
A vida das fatalizações
A vida

que felicidade

Ontem às 18 horas
Foi dia de Milagre
Nossa Senhora do Amor
Endireitou minha vida

Ontem às 18 horas
Fiquei noivo
Nossa Senhora do Brasil
Vai ser nossa madrinha

A Dolur

dreams can never be true

Um poema no espelho
No one but you

A Dulcita

reivindicação

Que pena
Não achar
Aquele Poema
Que eu fiz
Antes de todos
Os poemas
De Mário de Cendrars de Luiz Aranha e de Manuel
Eu trabalhei
Com um cinzel retardatário
Era O último passeio em 20 anos
De um tuberculoso
Pela cidade
De bonde
Dlen! Dlen!
Eu o poria neste papel

Beija-flor do rabo branco
Vinde logo me contar
Quem é que morre nesta casa
Para mim chorar

falar difícil

O moço entrou na secretaria de Palácio
Desfilaria no chapéu [?]
Tenho cumprido até hoje
Meu estrito dever de brasileiro
Quando se ensangueteram
Os gloriosos campos de Piratininga
Não peguei num bacamarte
Porque não tive oportunidade
Mas trabalhei com o cérebro
Sou 3º escriptinio dos telégrafos

1830*

O general Flores da Cunha
Não precisou pedir licença aos seus pares
Para honrar suas estrelas
Numa arrancada
Prendeu o caudilho
Honório de Lemos
Tropeiro da Liberdade
E depois choraram

* Este poema integraria o conjunto "balas de estalo", do *Primeiro caderno do aluno de poesia Oswald de Andrade* (1927). (N. C.)

Laranjeira pequenina
Como tu carregas flor
Eu também levo em meu sangue
Os brotos do meu amor

experiência de vida*

O bebê
Animado pelas pessoas presentes
Levou um tombo

canto do corumba**

Eu sou o filho homem
Daquela família dos Corumbas
Que segundo o romance do Sr. Amando Fontes
Veiu procurar a vida na cidade
E viu uma das meninas
Morrer tuberculosa no catre
A outra ser seduzida pelo médico da casa
A outra por um soldado cantador
A outra por um filho de gente rica
E voltou vexada e nua
Para a maldição do campo torrado
O romancista não deu solução
Ao vosso caso
Ó pais vencidos
Ó irmãs putas

* Este poema tem estilo bastante semelhante ao do conjunto "as quatro gares", do *Primeiro caderno do aluno de poesia Oswald de Andrade*. (N. C.)
** Este poema e o seguinte foram escritos posteriormente a 1933, mas não foi possível precisar a data da redação. Ambos são contemporâneos. (N. C.)

Que me vistes partir exilado
Numa proa de ita
Com outros militantes
Da causa do proletariado
Mas eu venho vos trazer
A revolta social na minha voz
De comunista
Venho vos explicar
Que vós deveis unir
Ó pais velhos
A todos os alquebrados pelo trabalho do campo
A todos os fugitivos erradios da seca
A todos os que perderam filhas e mulheres
Sem revide
Na fome dos caminhos
Na gula sexual dos exploradores
Ou na tosse dos teares
E dando a mão à mão do seu irmão
Cada um será um nó apertado
Da revolução
Que há de fazer de cada trabalhador
Um dono da terra, da vida e do pão
E sufocar como dedos convulsos
A burguesia safardana
Que nos explora
Nos mata
E nos infama
Irmãs de janela
Eu quero vos dar notícia
De um país
Que suprimiu a prostituição

Pro Dedeco

música

Nêgo du bombo
Quano vae
Tocano marcha
Nêgo da caxa
Bota o pé
No carcanhá
Caxa véia
Já tem mais
De mile rombo
Nêgo du bombo
Tem pé de chapuá

hebdomedário*

Ancoraste
No lodo e na incerteza
E contaste inutilmente o passo dos atoleiros

triunfo

Puseste a Torre Eifel no céu
E a cidade de aço no fundo do mar
A felicidade estava em tua memória

* Este texto e os dois seguintes integram os primeiros manuscritos de *O escaravelho de ouro* (1947). (N. C.)

psalmo

Pasmarás os búfalos
Domesticarás as hienas
Mas o pederasta entre palmas
Se colocará em tua frente
Como um mole tufão

Nota sobre o estabelecimento de texto

Para o estabelecimento de texto desta edição, foram consultados: manuscritos e publicações em periódicos dos poemas; a primeira edição de *Pau Brasil* (Paris: Au Sans Pareil, 1925), *Primeiro caderno do aluno de poesia Oswald de Andrade* (São Paulo: Edição do Autor, 1927) e *Poesias Reunidas O. Andrade* (São Paulo: Gaveta, 1945) — que reúne os poemas dos dois livros mencionados, *Cântico dos cânticos para flauta e violão* e a seção "Poemas menores".

Mantivemos a opção pelo uso de iniciais minúsculas no título dos poemas, adotada na edição de 1945, estendendo o critério a todos os textos que compõem a presente edição. Os poemas sem título inserem-se no índice pelo primeiro verso, em itálico.

Corrigimos erros tipográficos, interferências evidentes e reincorporamos versos suprimidos indevidamente, fazendo indicações em nota quando necessário. Realizamos também a atualização ortográfica de alguns vocábulos.

Quanto a *Pau Brasil*, mantivemos as formas “Eifel”, “garçone”, “garçoniere” e “ofices”, considerando-as como abrasileiramento de palavras estrangeiras.

No que se refere ao *Primeiro caderno...*, recuperamos as dedicatórias do livro e de cada poema, eliminadas na edição de 1945.

Para o estabelecimento de texto de *O escaravelho de ouro*, pautamo-nos pelos manuscritos e publicações em periódicos.

A organização desta edição é cronológica, com a ressalva da colocação de *O escaravelho de ouro* antes de “Poemas menores”, o que nos parece dar mais coerência ao conjunto, pois se trata do último poema mais consistente publicado em vida do autor (*Revista Acadêmica*, Rio de Janeiro, ano XII, n. 68, pp. 12-3, jun. 1947), que ainda apresenta características semelhantes a *Cântico dos cânticos para flauta e violão*, que o antecede na sequência aqui adotada.

“Poemas dispersos” reúne os textos não publicados em livro em vida do autor, sendo informada em nota de rodapé apenas sua primeira publicação. Para o estabelecimento de texto dos mesmos, consultamos manuscritos e publicações em periódicos.

Os textos reunidos em “Poemas inéditos” foram localizados durante as pesquisas para o volume a ser publicado *Obra incompleta*, edição crítica realizada no âmbito da Coleção Archives, com coordenação de Jorge Schwartz, e vêm a público pela primeira vez nesta edição — exceto “história de josé rabicho”, que foi publicado na revista *Cult* (São Paulo: Lemos Editorial, 2002, ano V, n. 55, pp. 56-7; apresentação de Gênese Andrade) e no *Diario de Poesía* (Rosário; Buenos Aires, n. 57, pp. 38-9, outono de 2001; apresentação de Gonzalo Aguilar e Gênese Andrade; tradução de Gonzalo Aguilar; formato bilíngue) como antecipação da mencionada *Obra incompleta*.

Embora nem todos os poemas dispersos e inéditos estejam datados, a localização dos manuscritos junto aos dos poemas publicados em vida permitiu uma datação pelo menos aproximada de cada um deles; em alguns casos, notas de rodapé informam sua contemporaneidade àqueles. Em ambas as seções, os poemas estão organizados cronologicamente.

Algumas notas elaboradas por Haroldo de Campos para *Poesias Reunidas de Oswald de Andrade* (São Paulo: Difel, 1966) foram mantidas, com o devido crédito.

As ilustrações de Tarsila do Amaral para *Pau Brasil* e as de Oswald de Andrade para o *Primeiro caderno do aluno de poesia Oswald de Andrade* são reproduzidas a partir da primeira edição. Os dois retratos de Maria Antonieta d'Alkmin, de autoria de Lasar Segall (pp. 153 e 158), e uma ilustração de Tarsila do Amaral (p. 184) que integram *Poesias Reunidas O. Andrade* seguem o mesmo critério e reaparecem pela primeira vez desde a edição de 1945, já que não foram incluídos nas publicações subsequentes da obra oswaldiana. (N. C.)

FORTUNA CRÍTICA

O LADO OPOSTO*

OSWALD DE ANDRADE

Meu sempre prezado Menotti.

APENAS ME AUSENTEI de São Paulo dez dias, e tive o prazer de contar dez tentativas de assassinato da Poesia Pau Brasil. Essa invenção dos primeiros especuladores que aqui desembarcaram, transposta por mim para o campo espevitado da literatura patriota, teve a linda e colorida vantagem de deixar o Cassiano Ricardo verde, o Plínio Salgado azul e você amarelo. Ergueram-se os três em legítima bandeira nacional, faltando-lhes apenas as respectivas estrelas, pois essas não podem seguir a orientação sem futuro que vocês querem emprestar à contrafacção escandalosa da mesma e dita Poesia Pau Brasil.

Verde, amarela, azul e branca, nascida da saudade das praias do Algarve no desembarcar pedregoso de Porto Seguro e ao mes-

* Carta publicada na coluna "Crônica Social" — mantida por Hélios, pseudônimo de Menotti Del Picchia — do *Correio Paulistano* (São Paulo, 26 set. 1925). Exemplar pertencente à Hemeroteca Digital Brasileira. Disponível em: <http://hemerotecadigital.bn.br>. Acesso em: 12 mar. 2016. (N. C.)

mo tempo atual e nossa como um passageiro gordo do bonde da Penha — eis o que é a Poesia que eu quero, a Pau Brasil. Isso de vocês pretenderem armar contra mim a bandeira imigrante dos colonos post-lusos é cousa à qual eu respondo em pessoa com o meu integral atavismo. Tenho de tudo nestas ricas velas verdes e amarelas — do índio catequizado ao italiano suspeito de Trieste e ao inglês de Souza. Quanto a vocês (vocês, oh súcia de parnasianos!) me acusarem de querer implantar o retorno, eu apelo para as etiquetas das minhas malas e mais do que isso, para o espanto do nosso caro deputado Hilário Freire, diante de minhas meias jacaré e de minha gravata banana do Brejo.

Cada vez mais futurista e mais seu amigo

Oswald de Andrade

P.S. O título desta carta é o da última escola literária fundada, diante da aproximação do sr. Coelho Neto das fileiras modernas.

CARTA SOBRE PRIMEIRO CADERNO DO ALUNO DE POESIA OSWALD DE ANDRADE*

CARLOS DRUMMOND DE ANDRADE

[Belo Horizonte, 1928]

Oswald

É MUITO PROVÁVEL que V. não tenha reparado no meu silêncio sobre o *Primeiro caderno de poesia*. Silêncio de indivíduo pouco sério epistolarmente falando, mas que não significa nem pouco caso nem quebra daquela velha admiração bocó que eu, mesmo sem querer, dedico a V. Pelo contrário, esse *Primeiro caderno* me fez ficar cada vez mais incondicionalmente seu admirador. Não é para me gabar, mas eu gosto um horror de sua poesia. V. ocupa um lugar tão diferente dos outros lugares do modernismo brasileiro, que estar com V. é ter a sensação de estar sozinho. Antes só

* Carta de Carlos Drummond de Andrade a Oswald de Andrade. Manuscrito autógrafo, assinado, duas folhas, papel timbrado do *Diário de Minas*. Local impresso em cabeçalho, ano manuscrito. Reproduzida e transcrita em Pedro Corrêa do Lago, *Documentos autógrafos brasileiros na Coleção Pedro Corrêa do Lago* (Rio de Janeiro: Salamandra, 1997, pp. 140-1, 189). (N. C.)

do que mal acompanhado se bem que estar mal acompanhado também é gostoso.

Não gostei por igual de seus poemas, porque de alguns eu gostei mais. A saber, "adolescência", "velhice", "meus sete anos", "o filho da comadre esperança", "poema de fraque". Acho que V. foi o mais longe possível nesses versos. Chegou a uma simplicidade simples por demais. É verdade que se der ainda um passo à frente... cuidado! era uma vez um aluno de poesia.

Mas V. é muito esperto e não precisa que eu lhe diga essas coisas.

Comprei e não li *A estrela de absinto*. É horrível em 1928, e dou-lhe os meus pêsames mais sinceros.

Recomende-me a d. Tarsila, e queira bem ao seu de verdade

Carlos
Rua Silva Jardim, 117

Vai junto um poeminha para V. ler.

OSWALD DE ANDRADE NÃO QUER FALAR MAL DA CRÍTICA*

MÁRIO DA SILVA BRITO

[...]

As poesias completas de Oswald de Andrade

ESTAVA O TIPO DE CONVERSINHA de fim de entrevista. Outras preocupações começaram a sobrepor-se em nosso pensamento. Havia uma atmosfera pesada comprimindo a gente. Na rua de vez em quando, o barulho inquieto de umas patas de cavalo. Picasso, pendurado num ângulo da parede, como que estava exilado. Uns rumores intranquilos invadiam o interior das nossas ideias. Chirico e todo o mundo de sugestões que condensa, não atormentava. Ali estavam os seus cavalos agitados e instintivos, o seu céu rubro anunciando uma aurora ou um entardecer de sangue, o seu mar e a cabeça de Homero perdida na praia, enquanto, a pouca distância, a Acrópole, numa colina, nostalgiava Atenas. A cultura

* Entrevista publicada no *Diário de S. Paulo* (São Paulo, 18 nov. 1943). Exemplar pertencente à Biblioteca Municipal Mário de Andrade, São Paulo. (N. C.)

decepada. Freudismo. Num canto, pilhas e pilhas de cadernos, de *block-notes* e de agendas. É o material de *Marco zero*.

— Só *Marco zero* — repito a mim mesmo.

— E a poesia?

Pensei que a pergunta ocasionasse ao menos um espanto, um susto. Mas não. Oswald falou:

— Vou publicar uma edição completa de minha obra poética. Quem a lançará é o Clóvis Graciano. Serão as *Poesias Reunidas O. Andrade*.

E pilheriou:

— Já que não posso ter indústrias...

As ilustrações para esse volume são de Tarsila, Segall e do próprio Oswald. Lembro-me do poema *Cântico dos cânticos para flauta e violão* — que Manuel Bandeira acha deva ser "para orquestra". Falo dele. E fico sabendo que essa poesia, dedicada à sua esposa, Maria Antonieta d'Alkmin — cujo nome se repete com frequência durante todo o poema — vai sair num número especial da *Revista Acadêmica*, ilustrada por Segall. Então Oswald repete um juízo de Carlos Drummond de Andrade a respeito de sua última poesia:

— Você restituiu à literatura brasileira — diz o cantor de *Sentimento do mundo* — o poema de amor que você mesmo havia destruído...

[...]

UMA POÉTICA DA RADICALIDADE*

HAROLDO DE CAMPOS

Ser radical

SE QUISERMOS CARACTERIZAR de um modo significativo a poesia de Oswald de Andrade no panorama de nosso modernismo, diremos que esta poesia responde a uma poética da radicalidade. É uma poesia radical. Que quer dizer "ser radical"? Num texto famoso, Marx escreveu: "Ser radical é tomar as coisas pela raiz. E a raiz, para o homem, é o próprio homem". Como entender, nesse sentido, a radicalidade da poesia oswaldiana? Novamente Marx nos fornece um ponto de partida:

> A linguagem é tão velha como a consciência — a linguagem é a consciência real, prática, que existe também para outros homens, que existe então igualmente para mim mesmo pela primeira vez, e, assim como a consciên-

* Publicado originalmente em Oswald de Andrade, *Poesias Reunidas de Oswald de Andrade* (São Paulo: Difel, 1966, pp. 7-56). (N. C.)

> cia, a linguagem não aparece senão com o imperativo, a necessidade do comércio com outros homens. Onde quer que exista uma relação, ela existe para mim. O animal *não está em relação* com nada, não conhece, afinal de contas, nenhuma relação. Para o animal, suas relações com os outros não existem como relações. A consciência é, portanto, desde logo, um produto social e assim permanece enquanto existam homens em geral.[1]

A radicalidade da poesia oswaldiana se afere, portanto, no campo específico da linguagem, na medida em que esta poesia afeta, na raiz, aquela consciência prática, real, que é a linguagem. Sendo a linguagem, como a consciência, um produto social, um produto do homem como ser em relação, é bom que situemos a empresa oswaldiana no quadro do seu tempo. Qual a linguagem literária vigente quando se aprontou e desfechou a revolução poética oswaldiana? O Brasil intelectual das primeiras décadas deste século, em torno à Semana de 22, era ainda um Brasil trabalhado pelos "mitos do bem dizer" (Mário da Silva Brito), no qual imperava o "patriotismo ornamental" (Antonio Candido), da retórica tribunícia, contraparte de um regime oligárquico-patriarcal, que persiste República adentro. Rui Barbosa, "a águia de Haia"; Coelho Neto, "o último heleno"; Olavo Bilac, "o príncipe dos poetas", eram os deuses incontestes de um Olimpo oficial, no qual o Pégaso parnasiano arrastava seu pesado caparazão metrificante e a riqueza vocabular (entendida num sentido meramente cumulativo) era uma espécie de termômetro da consciência "ilustrada". Evidentemente que a linguagem literária funcionava, nesse contexto, como um jargão de casta, um diploma de nobiliarquia intelectual: entre a linguagem escrita com pruridos de escorreição pelos convivas do festim literário e a linguagem desleixadamente falada pelo povo (mormente em São Paulo, para onde acudiam as correntes migratórias com as suas deformações orais peculiares), rasgava-se um abismo aparentemente intransponível. A poesia "Pau Brasil" de Oswald de Andrade representou, como é fácil de imaginar, uma guinada de 180° nesse status quo, onde — a expressão é do próprio Oswald — "os valores estáveis da mais atrasada literatura do mundo impediam qualquer renovação". Repôs tudo em questão em matéria de poesia e, sendo radical na linguagem, foi encontrar, na ponta de sua perfuratriz dos estratos sedimentados da convenção, a inquietação do homem brasileiro novo, que se forjava falando uma língua sacudida pela "contribuição milionária de todos os erros" num país que iniciava — precisamente em São Paulo — um processo de industrialização que lhe acarretaria fundas repercussões estruturais.

> Se procurarmos a explicação do porquê o fenômeno modernista se processou em São Paulo e não em qualquer outra parte do Brasil, veremos que ele foi uma consequência da nossa mentalidade industrial. São Paulo era de há muito batido por todos os ventos da cultura. Não só a economia cafeeira promovia os recursos, mas a indústria com a sua ansiedade do novo, a sua estimulação do progresso fazia com que a competição invadisse todos os campos de atividade.

É o retrospecto de Oswald, em 1954.[2]

O conflito estrutural e a linguagem

A Guerra Mundial de 1914-8 dera grande impulso à indústria brasileira. "Não somente a importação dos países beligerantes, que eram nossos habituais fornecedores de manufaturas, declina e mesmo se interrompe em muitos casos, mas a forte queda do câmbio reduz também consideravelmente a concorrência estrangeira."[3] Começou a despontar uma "economia propriamente nacional" (como nunca existira antes no Brasil), "condicionada sobretudo pela constituição e ampliação de um mercado interno, isto é, o desenvolvimento do fator *consumo*, praticamente imponderável no conjunto do sistema anterior, em que prevalece o elemento *produção*". A abolição dos escravos, a imigração maciça de trabalhadores europeus, o progresso tecnológico dos transportes e das comunicações contam-se, ainda, entre as causas determinantes dessa nova economia em germinação.[4] Evidentemente que estes processos haveriam de repercutir, sob a forma de conflito, na linguagem dessa sociedade em transformação, e se entenda aqui linguagem no seu duplo aspecto: de meio técnico, ao nível da infraestrutura produtiva, sujeito aos progressos da técnica; e — na obra de arte dada — de manifestação da superestrutura ideológica. Se é verdade, como se extrai de uma recente análise socioeconômica do problema,[5] que "os estratos mais altos da população urbana estavam formados, na sua grande maioria, por membros das grandes famílias rurais" (e o caso biográfico de Oswald de Andrade é um exemplo disso), a mesma análise também nos elucida que o surgimento de um processo de urbanização ao lado da oligarquia de base latifundiária ("sociedade essencialmente estável, cujo sistema de poder era um simples reflexo de sua estrutura patriarcal") constitui-se num primeiro fator de instabilidade que, paulatinamente, através do fenômeno da massificação, desenharia o conflito fundamental "entre as massas urbanas, sem estruturação definida e com liderança populista, e a velha estrutura de poder que controla o Estado". Os esforços de atualização da linguagem literária levados a cabo pelo modernismo de 22 acusam, como uma placa sensível, o configurar-se dessas contradições. Mais agudamente do que nenhuma outra, na seara modernista, a obra de Oswald de Andrade.

O mal da eloquência

Quando Paulo Prado, em maio de 1924, prefaciando o primeiro livro de poemas de Oswald (publicado em 1925), definiu a poesia "Pau Brasil" como o "ovo de Colombo" e a saudou como "o primeiro esforço organizado para a libertação do verso brasileiro", pôs o dedo no nervo do problema. Não apenas porque o ensaísta paulista via nela "a reabilitação do nosso falar cotidiano, *sermo plebeius* que o pedantismo dos gramáticos tem querido eliminar da língua escrita", mas, para além disso, porque nela pressentia algo de muito mais fundamental por seu alcance:

> Esperemos também que a poesia "Pau Brasil" extermine de vez um dos grandes males da raça — o mal da eloquência balofa e roçagante. Nesta época apressada de rápidas realizações a tendência é toda para a expressão rude e nua da sensação e do sentimento, numa sinceridade total e sintética.
>
> *Le poète japonais*
> *Essuie son couteau:*
> *Cette fois l'éloquence est morte*
>
> diz o haikai japonês, na sua concisão lapidar. Grande dia esse para as letras brasileiras. Obter, em comprimidos, minutos de poesia

É certo que, antes do *Pau Brasil*, Mário de Andrade, o outro grande nome de nosso modernismo, publicara já dois livros de poesia: *Há uma gota de sangue em cada poema* (1917) e *Pauliceia desvairada* (1922), livros que, sem dúvida, tiveram grande importância histórica e iriam instigar poderosamente Oswald (em 27 de maio de 1921, num artigo que provocaria escândalo e controvérsias, inclusive junto ao próprio Mário, Oswald lançaria pela imprensa o autor da então inédita *Pauliceia* como "O meu poeta futurista").[6]

Em nenhum desses livros, porém, se encontra a atitude radical perante a linguagem que emerge da primeira coletânea de nosso poeta, e que já está no romance-invenção *Memórias sentimentais de João Miramar* — começado entre 1914-6, escrito e reescrito sucessivamente até 1923, publicado em 1924 —, muitas de cujas seções são compostas literalmente de poemas que poderiam ter figurado na coletânea de 1925:

Mont-Cenis

O alpinista
de alpenstock
desceu
nos
Alpes

Realmente, a linguagem do primeiro livro de Mário (publicado sob o pseudônimo de Mário Sobral, e incluído depois no volume *Obra imatura* de suas *Obras completas*) é ainda bastante tradicional, exclamativa, pontilhada de sentimentalismo retórico, e nela apenas se destacam momentos avulsos de inconformismo, como aquele "Somente o vento/ continua com seu oou...", que entusiasmou Oswald quando do primeiro encontro dos dois Andrades.[7] Já a *Pauliceia desvairada* é um livro esteticamente representativo, compreendendo poemas como a "Ode ao burguês" e o oratório profano "As enfibraturas do Ipiranga", exemplos da melhor dicção marioandradina; apesar disso, não há nele nenhum sentido de despojamento, de redução, de síntese, como o que distingue a poesia "Pau Brasil" de Oswald. É que Mário não questionava a retórica na base; procurava antes conduzi-la para um novo leito, perturbá-la com a introdução de conglomerados semânticos inusitados, mas deixava o verso fluir longo, só aqui e ali interrompido pelo entrecortado "verso harmônico" ("Arroubos... Lutas... Setas...

Cantigas… Povoar!", no corpo de um poema como "Tietê"), e a temática e o rimário (frequentemente a sua força, pelo imprevisto e pela dissonância) afetar-se por uma componente simbolista invencível, de um simbolismo urbano à Verhaeren. Poder-se-ia estabelecer um gráfico de frequências dessa retórica renovada pela incidência de certas formas léxicas, como os advérbios de modo atrelados ao sufixo "mente"… Em *A escrava que não é Isaura*, ensaio de estética modernista escrito em 22 e publicado em 25 (também incluído no volume *Obra imatura* da edição da Martins), está, com todas as letras, o programa de Mário: "Mas onde nos levou a contemplação do pletórico século XX? Ao redescobrimento da Eloquência. Teorias e exemplo de Mallarmé, o errado *Prends l'éloquence et tords-lui son cou* de Verlaine, deliciosos poetas do não-vai-nem-vem não preocupam mais a sinceridade do poeta modernista". E Mário parte para a profligação de Mallarmé ("É PRECISO EVITAR MALLARMÉ!", exclama em maiúsculas), cujo pecado seria a "intelectualização", e para o elogio do sentimento e do subconsciente (no fundo, a escrita automática dos surrealistas, estes *rhéteurs* por excelência da poesia moderna, cujo primeiro manifesto sairia em 24, como uma dissidência francesa de dadá). Assim, a *Pauliceia*, com tudo o que trazia de novo, ainda não era a revolução; era a reforma, com seu lastro de conciliação e palavrosidade. A revolução — e revolução copernicana — foi a poesia "Pau Brasil", donde saiu toda uma linha de poética substantiva, de poesia contida, reduzida ao essencial do processo de signos, que passa por Drummond na década de 30, enforma a engenharia poética de João Cabral de Melo Neto e se projeta na atual poesia concreta.[8] Uma poesia de tipo industrial, diríamos, por oposição ao velho artesanato discursivo, institucionalizado em modelos retóricos pelo parnasianismo, ou já degelado, revitalizado em novos caudais lírico-interjetivos pelo poeta da *Pauliceia*. Só em *Losango cáqui*, publicado em 1926, em alguns poemas isolados como os de número XIV ("O alto") e XXVI, Mário ensaiaria uma concisão paralela àquela praticada exemplar e sistematicamente por Oswald em *Pau Brasil*. Mas, mesmo no *Losango* — a coletânea mais experimental e enxuta de Mário — subsiste a marca renitente do sentimentalismo ("Quando a primeira vez apareci fardado/ Duas lágrimas ariscas nos olhos de minha mãe...") e ocorre o soneto demonstrativo (poema XXXIII-bis — "Platão"), o soneto-para-mostrar-que-o-autor-sabia-fazer-sonetos...[9]

Uma estética redutora

Assim como Paulo Prado, João Ribeiro percebeu com acuidade o sentido pioneiro e radical da poética oswaldiana. Seu pronunciamento, muito referido depois: — "O Sr. Oswald de Andrade com o *Pau Brasil* marcou definitivamente uma época na poesia nacional" —, está formulado num artigo de 1927, dedicado à segunda coletânea do poeta.[10] Nesse trabalho, já escrito com dois anos de perspectiva em relação ao lançamento dos poemas de estreia de Oswald, João Ribeiro pôde avaliar com exatidão o que fora o impacto desse lançamento:

> Ele atacou, com absoluta energia, as linhas, os arabescos, os planos, a perspectiva, as cores e a luz. Teve a intuição infantil de escangalhar os brinquedos, para ver como eram por dentro. E viu que não eram coisa alguma.
>
> E começou a idear, sem o auxílio das musas, uma arte nova, inconsciente, capaz da máxima trivialidade por oposição ao estilo erguido e à altiloquência dos mestres.
>
> Geometrizou a realidade, dando esse aspecto primevo, assírio ou egípcio da escultura negra, fabricou manipansos terríficos, e opôs à ânfora grega a beleza romboide das igaçabas.
>
> [...]

Assim nasceu uma poesia nacional que, levantando as tarifas de importação, criou uma indústria brasileira.

[...]

Para mim ele foi o melhor crítico da ênfase nacional; o que reduziu a complicação do vestuário retórico à folha de parreira simples e primitiva e já de si mesma demasiada e incômoda.

Chegou à concepção decimal e infantil, que se deve ter do homem: um 8 sobre duas pernas, total dez.

Num outro artigo, de 1928,[11] João Ribeiro volta a falar da poesia "Pau Brasil", e acrescenta então:

Ele (Oswald) sentia-se, como todos nós, saturado das imitações correntes, e procedeu um pouco à maneira de Descartes, eliminando sucessivamente todas as ideias recebidas, até chegar ao Brasil ainda meio pré-histórico, revelado pelos conquistadores.

A poesia ganhou, com essa redução, um sentido novo e original.

E aqui é preciso não esquecer o influxo simultâneo do seu colega Mário de Andrade, o esteta.

Chave de ouro e *camera eye*

Pois Mário de Andrade, o esteta, não avaliou bem a importância da estética redutora de Oswald. Já vimos as ressalvas com que editou, em 1926, o seu *Losango cáqui*, onde se descobria um pouco "Pau Brasil". Em carta de 4 de outubro de 1927 a Manuel Bandeira,[12] Mário dá conta de suas restrições à poesia oswaldiana, que deveriam aparecer em artigo destinado ao número quatro (que afinal não saiu) da revista *Estética*. Pelos argumentos resumidos nessa carta, conclui-se que o equívoco de Mário estava em querer analisar as realizações de Oswald a partir de esquemas parnasianos que lhes ficam nos antípodas. Escreve o autor da *Pauliceia*: "[...] o Osvaldo sem pensar nisso usa em geral na poesia dele o pior de todos os processos parnasianos: o verso de oiro. *Pau Brasil* está cheio de poemas escritos *unicamente* por causa do verso de oiro, que no caso, em vez de ser lindo à parnasiana, é cômico, é ridículo etc. à Osvaldo". A cláusula final já encerra uma contradição, pois, a admitirem-se os termos da proposição marioandradina, tratar-se-ia, então, mais corretamente, de um verso de ouro para acabar com o verso de ouro, de um desmascaramento sistemático da rotina parnasiana pela exposição do seu avesso ("Só não se inventou uma máquina de fazer versos — já havia o poeta parnasiano", lê-se no "Manifesto da Poesia Pau Brasil"). Mas o desenfocamento tem razões mais profundas. Há uma observação metodológica de Henri Lefebvre que nos parece esclarecedora: "Uma teoria nova não é jamais compreendida se se continua a julgá-la através de teorias antigas e de interpretações fundadas (à revelia daquele que reflete) sobre essas teorias antigas".[13] A crítica de Mário esbarrava nesse preconceito de visada: Mário sempre se preocupou a sério com a estética parnasiana (vejam-se os seus estudos "Mestres do passado" e o que neles há de implícita reverência) e mais de uma vez, em diferentes épocas, quis mostrar que sabia fazer sonetos em clave áurea ao gosto dessa estética (considere-se, por exemplo, o soneto "Artista", incluído quase como aval curricular no "Prefácio interessantíssimo" à *Pauliceia*, ou o "Quarenta anos", de *A costela do Grã Cão*). Oswald nunca pôde subordinar seu espírito a cânones métricos e aos paramentos semânticos que lhes são correlatos.[14] Eis por que Mário — sem ter jamais despegado inteiramente de sua poesia aquele *mal da eloquência* de que o parnasianismo apenas constituía modalidade estatutária — via, paradoxalmente, digitais parnasianas (que não eram "lindas à parnasiana"...?!...), naquela poesia que representava o mais duro golpe até então sofrido pela pompa retórica de nossa linguagem letrada e seu cerimonial alienante — a poesia-minuto de Oswald. Ler a sintética poesia "Pau Brasil" à cata de versos de ouro ou pretender que os poemas daquela coletânea inaugural tivessem sido escritos em torno desse efeito era um esforço de desentendimento: o mesmo que aferir os *shots*, as tomadas de uma câmera cinematográfica — o *camera eye* das sínteses oswaldianas:

o capoeira

— Qué apanhá sordado?

— O quê?

— Qué apanhá?

Pernas e cabeças na calçada

— pelos trâmites da burocracia do soneto. Nesse nivelamento de tudo pela rasoura subjetiva, as diferenças se abolem e todas as interpretações ficam lícitas, pois desprezam o suporte material e se fiam no vago vislumbrar de improvadas (e improváveis) intenções ocultas. Foi o erro de Mário, um erro típico de seu "psicologismo".[15] Mário queria o inefável, o "mistério". E censurava, de fundo, na poesia oswaldiana, a ausência desse "mistério", o emprego irônico do sentimental.[16] Numa carta de 21 de janeiro de 1928 a Ascânio Lopes, Oswald e Mallarmé são aproximados por Mário numa mesma frase de reprovação: como dados a "invenções desumanas que por desumanas não podem ir pra diante".[17]

Lirismo objetivo e anti-ilusionismo

Mas a crítica marioandradina ao *Pau Brasil* nos permitirá apanhar um aspecto importante desta poesia radical. É quando Mário, na carta-resumo de seu artigo para *Estética*, começa por negar "lirismo objetivo" no "documento à Osvaldo". "Somos nós"

— acrescenta — "que devido aos nossos preconceitos, aos nossos costumes etc. botamos no documento à Osvaldo aquela dose de ridículo, de contraste, de inopinado etc. que produz a força lírica do documento oswaldiano." Mário simplesmente registrou aqui (sem lhe conferir o verdadeiro significado) o efeito de *anti-ilusionismo*, de apelo ao nível de compreensão crítica do leitor, que está implícito no procedimento básico da sintaxe oswaldiana — a técnica de montagem —, este recurso que Oswald hauriu nos seus contatos com as artes plásticas e o cinema. Mas, justamente por se tratar de um procedimento anti-ilusório, de uma técnica de objetivação, é que a poesia assim resultante é objetiva. Ao invés de embalar o leitor na cadeia de soluções previstas e de inebriá-lo nos estereótipos de uma sensibilidade de reações já codificadas, esta poesia, em tomadas e cortes rápidos, quebra a morosa expectativa desse leitor, força-o a participar do processo criativo. Não se trata tampouco de um mergulho exclamativo no irracional, do conjuro oracular do "mistério" (este sim subjetivo, catártico), mas de uma poesia de postura crítica, de tomada de consciência e de objetivação da consciência via e na linguagem. Daí por que, sob critérios mais tradicionais, ela pudesse parecer "não linda", não reverente para com o "sentimental", "desumana". É o efeito que se encontra também nos poemas lacônicos da fase madura de Bertolt Brecht, a fase que começa em 1939 com os poemas escritos no exílio (em *basic German*, segundo o próprio Brecht):

Hollywood

Toda manhã; para ganhar meu pão
Vou ao mercado, onde se compram mentiras.
Cheio de esperança
Alinho-me entre os vendedores.

Walter Jens observa que, em composições dessa natureza, o poeta "trabalha preferentemente com reduções, com rarefações e abreviaturas estilísticas, de uma tal audácia que o contexto omitido compensa a dimensão escrita do texto"; seu método consistiria em "enfileirar frases justapostas, entre as quais o leitor, para compreender o texto, deve inserir articulações". E Anatol Rosenfeld, descrevendo essa poesia à luz do *Verfremdungseffekt* ("efeito de alienação"), característico do teatro brechtiano, diz: "O choque alienador é suscitado pela omissão sarcástica de toda uma série de elos lógicos, fato que leva à confrontação de situações aparentemente desconexas e mesmo absurdas. Ao leitor assim provocado cabe a tarefa de restabelecer o nexo".[18] Pois os poemas-comprimidos de Oswald, na década de 20, dão um exemplo extremamente vivo e eficaz dessa poesia elíptica de visada crítica, cuja sintaxe nasce não do ordenamento lógico do discurso, mas da montagem de peças que parecem soltas. Pense-se em poemas como "nova iguaçu" ou "biblioteca nacional", meras enumerações de nomes de lojas do interior ou de títulos de livros numa estante caseira, a engendrar, por sobreposição, penetrantes ideogramas lírico-satíricos da realidade nacional e das condições alienadas em que ela se manifesta. A contínua transliteração do clichê idiomático, através de uma operação de *estranhamento*, por força da qual "os lugares-comuns se transformam em lugares incomuns",[19] participa também deste processo (assim "agente", "música de manivela", "ideal bandeirante", "o ginásio", "reclame", "aproximação da capital", "anúncio de são paulo", entre outros; no que toca à "reificação" das relações amorosas, emparelhadas com um "excelente jantar" ou convertidas num "deve/haver" mercantil, mas sempre embalsamadas do viscoso sentimentalismo pequeno-burguês, eufemístico e tutelar, basta que se leia o admirável "Secretário dos amantes", com seu epistolário de receita, ou então o poema-bilhete "passionária").

A “aura” do objeto

A primeira frase do “Manifesto da Poesia Pau Brasil” é: “A poesia existe nos fatos”. Frase que se desdobra em outras como: “A Poesia para os poetas. Alegria dos que não sabem e descobrem”. [...] “Nenhuma fórmula para a contemporânea expressão do mundo. *Ver com olhos livres.*” [...] “O contrapeso da originalidade nativa para inutilizar a adesão acadêmica.” [...] “Práticos. Experimentais. Poetas.” [...] “Leitores de jornais.” E esta definição: “A Poesia Pau Brasil é uma sala de jantar domingueira, com passarinhos cantando na mata resumida das gaiolas, um sujeito magro compondo uma valsa para flauta e a Maricota lendo o jornal. No jornal anda todo o presente”. O que aí está é um programa de dessacralização da poesia, através do despojamento da “aura” de objeto único que circundava a concepção poética tradicional. Essa “aura”, que nimbava a aparição radiante da poesia como um produto para a contemplação, foi posta em xeque, mostra-nos Walter Benjamin,[20] com o desenvolvimento dos meios de reprodução próprios da civilização industrial (técnicas de impressão, fotografia e sobretudo o cinema). Para Benjamin, as manifestações dadá (que explodiram em Zurique, em 1916, no Cabaret Voltaire) visavam no fundo “a produzir, com os meios da pintura (ou da literatura) aqueles mesmos efeitos que o público agora reclama do cinema”. E prossegue:

> Um de seus recursos mais usuais para atingir esse fim foi o aviltamento sistemático da matéria mesma de suas obras. Seus poemas são *saladas de palavras*, contêm obscenidades e todos os detritos verbais imagináveis. Assim também seus quadros, nos quais colocavam botões ou *tickets*. Dessa maneira, conseguiram privar radicalmente de toda *aura* as produções às quais infligiam o estigma da reprodução.

Diante de um poema dadá não se tem, como diante de um poema de Rilke, "o lazer para o recolhimento e para a formação do julgamento", essa "retirada para dentro de si mesmo", convertida por uma "burguesia degenerada" em "escola de comportamento a-social". Dadá se torna um "exercício de comportamento social", através de uma violenta mudança de atitude: a obra de arte vira objeto de escândalo. "De espetáculo atraente para o olho ou de sonoridade sedutora para o ouvido, a obra de arte, com o dadaísmo, se fez choque. Feriu o espectador e o ouvinte. Adquiriu um poder traumatizante." Assim, conclui o ensaísta alemão, favoreceu-se o gosto pelo cinema, que, ao invés de convidar à contemplação, provoca um efeito de choque na assistência pelas contínuas mudanças de lugares e cenas, pela rápida sucessão de imagens que interdita o abandono à interioridade e exige um maior e mais continuado esforço de atenção. Ao mesmo tempo, sustenta Benjamin que a imagem do real fornecida pelo cinema era muito mais significativa para o homem contemporâneo do que aquela dada pelo teatro ou pela pintura (entendidos ambos, devemos ressalvar, em seus termos tradicionais). Em lugar do hic et nunc da obra de arte, daquilo que se chamava de "autenticidade", o cinema abandonava toda ideia de "ilusão da realidade": sua imagem do real era produzida em "segundo grau", em "modo operatório", através da montagem de um grande número de imagens parciais, sujeitas a leis próprias. Em lugar de propor-se uma "ilusão da realidade" ou de guardar diante do real uma distância de contemplação, o cinema penetrava da maneira a mais intensa no coração mesmo desse real, como um cirurgião na carne de seu paciente.

Destruir e construir

A análise de Walter Benjamin, que acima resumimos, é rica e instigante, mas limitada no que se refere à pintura ou à literatura.

Ela nos explica a função crítica do movimento dadá, que, como o futurismo e o cubismo, influiu sobre a poética e a poesia de Oswald. Porém estaca na consideração dos aspectos de negação, destrutivos, desse movimento. Só no cinema reconhece Benjamin a elaboração de uma sintaxe peculiar, de uma nova linguagem comensurada aos novos tempos e capaz de "dar uma representação artística do real". Nisso sua visão é afetada de tradicionalismo, pois se recusa a admitir o que parece óbvio, isto é, que, paralelamente ao cinema e por sua vez sob o influxo dele, profundas alterações também se processaram nas outras artes, exigindo-lhes a reorganização dos respectivos sistemas de signos em moldes mais adequados à realidade da civilização técnica. Do caos, da "idiotia pura" pregada por dadá como profilaxia contra a sacralização da arte, emergiam os elementos de uma nova construção. Artistas tão caracteristicamente marcados pela rebelião dadá, como o poeta-pintor-escultor Kurt Schwitters, por exemplo, já nos primeiros anos da década de 20 começariam a ligar-se aos neoplasticistas holandeses e aos construtivistas russos, numa evidente demonstração de que evoluíam para um endereço comum. No "Manifesto da Poesia Pau Brasil", observa-se claramente esse movimento pendular *destruição/construção*. Daí o erro dos que imaginam que o nosso modernismo tenha sido "essencialmente demolidor".[21] De fato, lê-se no "Manifesto" oswaldiano: "O trabalho da geração futurista foi ciclópico. Acertar o relógio império da literatura nacional". E também: "[...] a coincidência da primeira construção brasileira no movimento de reconstrução geral. Poesia Pau Brasil". Essa dialética ressoa no prefácio de Paulo Prado: "Um período de construção criadora sucede agora às lutas da época de destruição revolucionária, das 'palavras em liberdade'". O traçado que Oswald faz da evolução das artes sob o signo da era industrial é de uma admirável pertinência. Vai ele direto ao miolo do problema, percebendo que, com as técnicas de reprodução (pirogravura, máquina fotográfica, piano de manivela, objetos fabricados em série) houve um fenômeno de "democratização estética nas cinco partes sábias do mundo". Era a "aura" do objeto único que entrava em processo de falência. "As meninas de todos os lares ficaram artistas." E, numa curiosa situação-limite, querendo manter a "aura" mas somente a conseguindo conservar sob forma caricatural, surge, com a máquina fotográfica, o "artista fotógrafo", "com todas as prerrogativas do cabelo grande, da caspa e da misteriosa genialidade de olho virado" do pintor romântico. Isso deflagrou um processo inverso: "Ora, a revolução indicou apenas que a arte voltava para as elites. E as elites começaram desmanchando. Duas fases: 1ª, a deformação através do impressionismo, a fragmentação, o caos voluntário. De Cézanne e Mallarmé, Rodin e Debussy até agora; 2ª, o lirismo, a apresentação no templo, os materiais, a inocência construtiva". É o que, em recentíssimo trabalho, o crítico e filósofo da estética Umberto Eco repara, ao estabelecer uma dialética entre *Kitsch* (ou arte de massa, ou arte dos "efeitos") e vanguarda (ou arte das "causas"):

> quando a fotografia se revela utilíssima para absorver as funções celebrativas e práticas de início assumidas pela pintura, é então que a arte começa a elaborar o *projeto* de uma vanguarda [...] quando Nadar consegue, de maneira respeitável e com ótimos resultados, satisfazer um burguês desejoso de eternizar suas próprias feições para uso de seus descendentes, o pintor impressionista pode aventurar-se à experiência *en plein air*, pintando não aquilo que, com percepção limitada, cremos ver, mas o próprio processo perceptivo para o qual, interagindo com os fenômenos físicos da luz e da matéria, desenvolvemos o ato da visão.[22]

Esta relação *vanguarda/Kitsch* é bastante complexa e não apenas no sentido indicado por Eco, de que a arte de consumo, desfrutando continuamente das descobertas da vanguarda, a obriga a formular sempre novas propostas eversivas, mas ainda naquele de que, a um certo momento do processo (como em dadá, como na atual *pop art*), o circuito se fecha, se torna reversível, a serpente morde sua própria cauda, e a vanguarda passa a encontrar pretextos criativos na própria cultura de massa, ou nos detritos e emblemas dessa cultura. A nova arte é uma arte no horizonte do precário, que se despe dos nobres e exclusivos implementos do eterno, para incorporar a categoria do contingente. As duas fases em que Oswald desdobra a resposta da arte à indústria em seu "Manifesto" são extremamente elucidativas a esse respeito: depois da *fragmentação*, a articulação dos fragmentos por uma nova sintaxe — a *apresentação dos materiais*, a *inocência construtiva*. O poeta "Pau Brasil" se reclama de Mallarmé[23] e se confraterniza com o leitor de jornais. Sabe que a escritura desborda dos livros para o reclame urbano, "produzindo letras maiores que torres". Apela para Cézanne e para as cores de nossa visualidade popular ("Os casebres de açafrão e de ocre nos verdes da Favela, sob o azul cabralino, são fatos estéticos"). Ao invés da oposição dualista *sentimento* × *inteligência*, que atravessa *A escrava que não é Isaura* de Mário, a premonição dialética de um racionalismo sensível numa nova ordem que fosse ao mesmo tempo "sentimental, intelectual, irônica, ingênua". O roteiro dessa nova construção, que, a partir da demolição e da dessacralização do edifício artístico tradicional, buscava retomar o *sentido puro* ("puro" não como "purismo", mas na acepção fenomenológica de disposição inaugural: "O estado de inocência substituindo o estado de graça que pode ser uma atitude do espírito"), está agudamente formulado em outros tópicos do "Manifesto":

> Como a época é miraculosa, as leis nasceram do próprio rotamento dinâmico dos fatores destrutivos.
>
> [...]

O trabalho contra o detalhe naturalista — pela *síntese*; contra a morbidez romântica — pelo *equilíbrio* geômetra e pelo acabamento técnico ("Engenheiros em vez de jurisconsultos", propunha Oswald, preparando o solo para João Cabral); contra a cópia, pela *invenção* e pela *surpresa*.

Ou:

Aprendi com meu filho de dez anos
Que a poesia é a descoberta
Das coisas que eu nunca vi

Uma poesia *ready made*

A poesia de Oswald de Andrade acusa assim ambas as vertentes: a *destrutiva*, dessacralizante, e a *construtiva*, que rearticula os materiais preliminarmente desierarquizados. E ambas interligadas, permeáveis, como verso e reverso da mesma medalha, naquele atualíssimo horizonte do precário a que aludimos, onde perimem as certezas da estética clássica. De um lado, os poemas-paródia, em que peças obrigatórias dos florilégios nacionais, como a "Canção do exílio" de Gonçalves Dias ou "Meus oito anos" de Casimiro de Abreu, são reescritas com uma sem-cerimônia lustral ("canto do regresso à pátria", em *Pau Brasil*, e "meus oito anos", precedido de "meus sete anos", em *Primeiro caderno*). De outro, os poemas construídos sobre a língua "natural e neológica", imantados pelo "erro" criativo:

bonde
O transatlântico mesclado
Dlendlena e esguicha luz
Postretutas e famias sacolejam

Ou, ainda mais, os poemas de abertura do *Pau Brasil*, verdadeiros desvendamentos da espontaneidade inventiva da linguagem dos primeiros cronistas e relatores das terras e gentes do Brasil, onde, por mero expediente de recorte e remontagem, textos de Pero Vaz Caminha, de Gandavo, de Claude d'Abbeville, de frei Vicente do Salvador etc. se convertem em cápsulas de poesia viva, dotadas de alta voltagem lírica ou saboroso tempero irônico. Daí a importância que tem, para o poeta, o *ready made* linguístico: a frase pré-moldada do repertório coloquial ou da prateleira literária, dos rituais cotidianos, dos anúncios, da cultura codificada em almanaques. "A riqueza dos bailes e das frases feitas", como está no "Manifesto da Poesia Pau Brasil". O *ready made* contém em si, ao mesmo tempo, elementos de destruição e de construção, de desordem e de nova ordem. O *ready made* plástico, é sabido, foi criado pelo pré-dadaísta Marcel Duchamp nos primeiros anos da década de 10: um porta-garrafa (1912), uma roda de bicicleta (1913) e o famoso urinol batizado com o título de *Fonte* (1917). Duchamp estabelecia uma diferença entre o *ready made* e o *already found*, e esclarecia que intervinha em modo operativo para separar aquele deste.[24] Aí se colocaria, podemos dizer, o momento da construção. Roger Caillois observa: "A audácia de Marcel Duchamp significa que o essencial reside na responsabilidade assumida pelo artista ao apor sua assinatura sobre não importa que objeto, executado ou não por ele, mas de que ele soberanamente se apropria, fazendo-o ser visto como obra capaz de provocar, ao mesmo título que o quadro de um mestre, a emoção artística".[25] Ou como o exprimia Kurt Schwitters: "Tudo o que eu cuspo é arte pois eu sou artista", resumindo no aparente paradoxo a subversão do objeto "aureolado", privilegiado, da estética tradicional e o novo sentido de arte (também de certa maneira e conforme o ângulo de enfoque uma *antiarte*) daí emergente. Décio Pignatari, que definiu percucientemente a poesia oswaldiana como "uma poesia *ready made*", extraiu desta verificação notas que caracterizam com muita nitidez o processo poético do autor do *Pau Brasil*:

> A poesia de Oswald de Andrade é a poesia da posse contra a propriedade. Poesia por contato direto. Sem explicações, sem andaimes, sem preâmbulos ou prenúncios, sem poetizações. Com versos que não eram versos. Poesia em *versus*, pondo em crise o verso: um prosaísmo deliberado que é uma sátira contínua ao próprio verso, livre ou preso. [...] Sua poesia é um realismo autoexpositivo. [...] A coisa, não a ideia da coisa. O fim da arte de representação. Realismo sem tema ou temática realista: apenas transplante do existente.[26]

E Pignatari aponta o que há nesta poesia do *fato poético bruto* de renovadamente atual como precursão do problema da chamada "arte de mau gosto", da *pop art* ou "arte popular" (também conhecida como "neodadá") dos dias que correm. E lembra um depoimento de Oswald a Heráclio Sales que realmente pode ser entendido nesse sentido premonitório: "Abrimos caminho para uma coisa que não existia até então entre nós: uma literatura de pobres. Nunca tivemos uma literatura de pobres". Agora, vemos o crítico Pierre Restany, o jovem teórico do "folclore urbano", escrever em seu *Manifeste du nouveau réalisme* (1960):

> O que nós estamos descobrindo, tanto na Europa como nos EUA, é um novo sentido da natureza, de nossa natureza contemporânea, industrial, mecânica, publicitária [...]. Certos artistas atuais são naturalistas de um gênero especial: bem mais que de representação, deveríamos falar de presentação da natureza moderna [...]. O lugar-comum, o elemento de refugo e o objeto de série são arrancados ao nada da contingência ou ao reino do inerte; o artista os fez *seus*, e assumindo esta responsabilidade possessiva, ele lhes confere plena vocação significante.[27]

Pois essas palavras são água recirculando para o moinho de Oswald. Do Oswald que, no banquete "antropofágico" com que se celebrou o jubileu do *Pau Brasil*, recapitulava: "Nosso problema central foi a tensão entre o coloquial e a voragem. [...] Éramos a tradução da cidade".[28]

Devoração crítica

É preciso assinalar a esta altura que, nos seus contatos com a vanguarda europeia, Oswald portou-se sempre com atitude de devoração crítica — a atitude antropofágica proclamada no "Manifesto" de 1928 e que já está presente, embrionariamente, no "Manifesto da Poesia Pau Brasil" ("Apenas brasileiros de nossa época. O necessário de química, de mecânica, de economia e de balística. Tudo digerido. Sem meeting cultural. Práticos. Experimentais. Poetas"). Esta postura — que comparamos uma vez à "atitude redutora" do sociólogo Guerreiro Ramos antecipada em modo estético[29] — permitiu-lhe assimilar sob espécie brasileira a experiência estrangeira e reinventá-la em termos nossos, com qualidades locais ineludíveis que davam ao produto resultante um caráter autônomo e lhe conferiam, em princípio, a possibilidade de passar a funcionar por sua vez, num confronto internacional, como produto de exportação ("A nunca exportação de poesia [...] Uma única luta — a luta pelo caminho. Dividamos: Poesia de importação. E a Poesia Pau Brasil, de exportação"). A "Poesia de importação" da teoria oswaldiana era naturalmente a cultivada pelos repetidores pomposos, referendada pelos sodalícios, passivamente atrelada ao carroção perempto do parnasianismo francês (lembre-se que o epigonismo parnasiano produzia ainda os seus frutos serôdios: de 1923 e 1925, respectivamente, são, por exemplo, *Atalanta* e *A frauta de Pã* de Cassiano Ricardo). Para a eficácia da atitude redutora do antropófago Oswald contribuiu, sem dúvida, a *congenialidade* do modernismo brasileiro, uma tese levantada por Antonio Candido: em nosso país, onde "as culturas primitivas se misturam à vida cotidiana ou são reminiscências ainda vivas de um passado recente", se dava, com mais naturalidade do que na Europa, a implantação dos processos da vanguarda artística. Os nossos modernistas, assimilando com "desrecalque localista" as técnicas europeias, que no velho continente encontravam resistências profundas no meio e nas tradições, tinham aqui condições propícias para criar "um tipo ao mesmo tempo local e universal de expressão, reencontrando a influência europeia por um mergulho no detalhe brasileiro".[30]

Regional e contemporâneo

Quando se lê no "Manifesto da Poesia Pau Brasil": "Ser regional e puro em sua época", não se deve imaginar que estamos diante de uma proclamação "regionalista". Já vimos o que significava no programa estético oswaldiano a "volta ao sentido puro". Agora podemos acrescentar que esta se deveria processar na tensão dialética do regional com o universal, na inflexão do "ser regional" com o "ser contemporâneo". Ou: "Apenas brasileiros de nossa época". Muito ao contrário do regionalismo ingênuo em que tantos se embaraçam, Oswald lucidamente soube inscrever seu pensamento na perspectiva carregada de vidência histórica que nos oferecem coincidentemente estas observações de Marx e Engels (datadas de 1847-8):

> Em lugar do antigo isolamento das províncias e das nações bastando-se a si próprias, desenvolvem-se relações universais, uma interdependência universal das nações. E o que é verdadeiro quanto à produção material, o é também no tocante às produções do espírito. As obras intelectuais

de uma nação tornam-se a propriedade comum de todas. A estreiteza e o exclusivismo nacionais tornam-se dia a dia mais impossíveis; e da multiplicidade das literaturas nacionais e locais nasce uma literatura universal.[31]

Se, por exemplo, num contexto europeu as manifestações dadá tinham uma função crítica dessacralizante, de contestação do objeto privilegiado e reservado da estética tradicional pela triunfante civilização tecnológica, no caso brasileiro — no contexto de um país em formação transitando da oligarquia latifundiária para uma incipiente indústria, e onde esse processo de trânsito se desenrolava, inclusive, à sombra de medidas de proteção aos interesses agrícolas — aquela função crítica se desdobrava em uma contestação segunda: a da consciência letrada dos grêmios fátuos e das tertúlias inócuas pela despontante consciência nova, que se elaborava no cadinho da espontaneidade oral, dos barbarismos irreverentes, dos aportes migratórios. Instigava assim uma revisão, de contornos intransferivelmente locais, das imposturas estratificadas nos refolhos privados duma linguagem onde o bem falar e o bem escrever representavam senhas para o acesso social e para a partilha das benesses da classe dominante. A figura edulcorada do beletrista de salão ("É tão distinto/ Ser menestrel"); o mimetismo do semiletrado pernóstico, aspirante ao jargão da intelligentsia ("Dê-me um cigarro/ Diz a gramática/ Do professor e do aluno/ E do mulato sabido"); os formulários pelos quais se coavam os ideais da burguesia nas suas rotinas do bem-estar e do bem parecer ("Na dura labuta de todos os dias/ Não deve ninguém que se preze/ Descuidar dos prazeres da alma// Discos a todos os preços"), tudo se deslarva do quadro de alienações encravado na linguagem, perde a solidez reificada, aflora ao olho crítico. É matéria viva de palavras, palpitante, marcada pelo calor contingente dos comportamentos e compromissos humanos, não velando, mas desvelando agora — e surpreendentemente vívida por isso mesmo — esses comportamentos e compromissos. De senhas coaguladas na linguagem passam a poemas-sinais físicos. Materiais simplesmente apresentados. Desmistificados e desmistificantes. Nisto a poesia oswaldiana realiza o seu projeto: é brasileira e de sua época.

O analista analisado

"Oswald propugnava uma atitude brasileira de devoração ritual dos valores europeus, a fim de superar a civilização patriarcal e capitalista, com as suas normas rígidas, no plano social, e os seus recalques impostos, no plano psicológico", escrevem Antonio Candido e Aderaldo Castello, para assim caracterizar o que veem como "uma verdadeira filosofia embrionária da cultura".[32] Compreensível, portanto, que a essa filosofia correspondesse uma literatura exercida como atividade eminentemente crítica, na qual a poesia "Pau Brasil" marca um momento de singular eficácia. E tanto mais autenticidade ganha esta literatura crítica, quando se verifica que o seu autor é ao mesmo tempo sujeito e objeto do processo, observador e protagonista da realidade observada. Em nenhum momento Oswald se exclui sobranceiramente do contexto em observação, para reservar-se uma sede arbitral, neutra e não afetada pelos acontecimentos. Antes, ele é o analista analisado. Daí o comprometimento autocrítico — traduzido às vezes em conivência irônica, em suspensão desconfiada (ou até comovida) de julgamento — que repassa muitas de suas sínteses satíricas. Eis como o poeta — o poeta urbano, do maior centro industrial brasileiro — explica o estado de espírito e de coisas que o levou a escrever "escola berlites", um dos poemas mais característicos de sua primeira coletânea, poema no qual (como faria mais tarde Ionesco em *A cantora careca*, de 1950) expõe a nu o absurdo wittgensteiniano dos mecanismos gramaticais, instalado na automatização mercantilista do convívio diário:

> [...] vivemos muitas vezes, como bons paulistas, na angústia do colapso, o pelotão invisível apontando o peito, a morte a sessenta dias, a intimativa ululante do devido, pago, gasto, voado. Da casa e da família. Antigamente vinha presunto e manteiga da Dinamarca, hoje vem angústia. A nossa porém não é essa. É angústia bancária. Por isso perdemos facilmente o verbo poético e limitamo-nos muitas vezes ao vocabulário oligofrênico da cidade. Pingentes do capitalismo, lanceiros dos estribos, donde nos arriscamos a desabar a qualquer momento, surpreendemo-nos a produzir com o vizinho de ocasião aqueles prodígios do léxico Berlitz — Com prazer! Que honra! É bonito o pavão? Onde está a toilete?[33]

Oswald e Blaise Cendrars

Aqui é o momento para examinarmos, ainda que brevemente, as relações entre a poesia de Oswald de Andrade e a do globe-trotter e escritor suíço de expressão francesa Blaise Cendrars, ativo vanguardeiro das primeiras décadas do século, com sede principal de operações em Paris. Embora reconheçamos, com o crítico Pierre Furter,[34] que a posição de Cendrars perante o Brasil não deva ser avaliada limitadamente "em termos de influências recebidas ou dadas", no âmbito deste trabalho é relevante o estabelecimento do traçado recíproco dessas influências, por configurarem o caso concreto do binômio importação/exportação no roteiro poético oswaldiano. Em 1949, rememorando a gênese do *Pau Brasil*, Oswald declarava:

> O primitivismo que na França aparecia como exotismo era para nós, no Brasil, primitivismo mesmo. Pensei, então, em fazer uma poesia de exportação e não de importação, baseada em nossa ambiência geográfica, histórica e social. Como o pau-brasil foi a primeira riqueza brasileira exportada, denominei o movimento "Pau Brasil". Sua feição estética coincidia com o exotismo e o modernismo 100% de Cendrars, que, de resto, também escreveu conscientemente poesia "Pau Brasil".[35]

Deflagrada a "Semana" em 22, Oswald viaja a Paris. "Em 22" — explica o poeta, tomando como exemplo o caso do inconfidente José Joaquim de Maia, que, na Europa, procurara obter o apoio de Jefferson para a sublevação mineira — "o mesmo contato subversivo com a Europa se estabeleceu para dar força e direção aos anseios subjetivos nacionais, autorizados agora pela primeira indústria, como o outro o fora pela primeira mineração".[36] E Mário de Andrade nos permite completar a informação: "Sabes do Osvaldo? Está em Paris amigo de Cendrars, Romains, Picasso, Cocteau etc. Fez uma conferência na Sorbonne, em que falou de nós!!! Não é engraçadíssimo?".[37] Em 1924, Cendrars está no Brasil, em contato com os nossos modernistas. Sob a impressão do Brasil, escreve os poemas que figuram sob o título *Feuilles de route* na edição de 1957 de sua poesia.[38] Esses poemas vieram à luz entre 1924 e 1928 (parte na coletânea *Le Formose*, Paris, edições *Au Sans Pareil*, 1924, com ilustrações de Tarsila; parte no catálogo da exposição Tarsila, Paris, Galerie Percier, 1926; parte, finalmente, nos números 49 e 51, de 1927 e 1928, respectivamente, da revista parisiense *Montparnasse*). Em março de 1924 era lançado o manifesto poético oswaldiano e de maio do mesmo ano data o prefácio de Paulo Prado, o que permite supor que os poemas do *Pau Brasil*, pelo menos em parte, já estivessem elaborados àquela altura. Assim, embora o livro de Oswald só viesse a aparecer em 1925, em Paris, pela mesma editora de Cendrars, tudo parece indicar que o poeta suíço (que não ignorava o português, diga-se de passagem) teria tido conhecimento das produções inéditas de Oswald, por intermédio do próprio autor, contagiando-se por elas ou por seu espírito. Edgard Braga, a propósito, afirma: "Oswald de Andrade teve ainda tempo de ver assimilada não só a sua temática paisagística autóctone, como a estrutura usada em seus próprios poemas".[39] E cita como exemplo o poema "Fernando de Noronha", publicado por Cendrars em 1928:

De loin on dirait une cathédrale engloutie
De près
C'est une île aux couleurs si intenses que le vert de
[l'herbe est tout doré

muito semelhante a outro, homônimo, do *Pau Brasil*. Não se deve esquecer, também, que o *Le Formose* é dedicado nominalmente por Cendrars aos seus amigos brasileiros (entre os quais Oswald), e que o poeta paulista, por sua vez, dedica o *Pau Brasil* a Blaise Cendrars, acrescentando significativamente: "por ocasião da descoberta do Brasil". Aliás, no poema "Départ" (publicado em 1927), Cendrars menciona Oswald, depois de ter sido por este referido no "Manifesto", em "falação" e em "versos de dona carrie". Isso no que toca à influência de Oswald sobre Cendrars. Mas há o reverso da medalha. Quando Oswald assegura que sua poesia coincidia com a de Cendrars, está revelando o influxo que dela recebera. Não propriamente do que há nessa poesia de hausto longo, de andadura retórica (poemas como "La prose du Transsibérien et de la petite Jeanne de France", de 1913), mas, antes, das peças curtas, rápidas, tipo haicai, de assunto exótico, que o poeta suíço começara a publicar em 1922 ("Les Grands fêtiches", revista *Disque Vert*, Bruxelas, n. 1) e que continuam depois a aparecer nas seções "Îles" e "Menus", de *Kodak*, livro que sai em Paris em 1924, quando Oswald lançava no Brasil o seu *Miramar*. Apenas, a câmera portátil dos poemas oswaldianos tinha um dispositivo a mais, que faltava à *kodak excursionista* com que Cendrars fixou suas "fotografias verbais" pau brasileiras: a visada crítica. Cendrars ficava no exótico e no paisagístico, na cor local; Oswald dirigia sua objetiva para além desses aspectos, colhendo nela as contradições da realidade nossa, que escapavam à faiscante inspeção de superfície. Poemas tipo "biblioteca nacional" ou "ideal bandeirante" não se encontram nas *Feuilles de route*. Cendrars descobria o Brasil, pela mão de Oswald e seus companheiros modernistas, como um momento novo, excitante, no seu roteiro de peregrino sensível à cata da pureza selvagem. "Por excelência um ser de mediação", como o classificou Pierre Furter,[40] ele era também, irremediavelmente, um despaisado, um homem sem um possível contexto de situação. Diz Furter: "Se ele foi, como creio, um dos primeiros europeus a ser um verdadeiro elo entre o Novo e o Velho Mundo, a condição de mediação prejudicou a tomada de consciência da sua própria posição. Não é mais um suíço, nunca foi um brasileiro, e a França só é um ponto de partida, uma solução precária". Já Oswald, na congenialidade dos elementos primitivos que convocava para sua poética — e sob cujas espécies deglutia as apuradas técnicas estrangeiras —, estava redescobrindo a realidade brasileira de uma perspectiva original e situando-se nela. Assumia o mapa diacrônico dos vários Brasis coexistentes, em tempos (estágios) diversos, num mesmo espaço de linguagem, e assumia-o inscrevendo-se nele, observador observado de um contexto de conflito.

Um novo conceito de livro

A poesia de Oswald de Andrade põe um novo conceito de livro. Seus poemas dificilmente se prestam a uma seleção sob o critério da peça antológica. Funcionam como poemas em série. Como partes menores de um bloco maior: o livro. O livro de ideogramas. Daí que, desde o *Pau Brasil*, passando pelo *Primeiro caderno do aluno de poesia Oswald de Andrade*, até as *Poesias Reunidas O. Andrade* (título que parodia certa sigla de Indústrias Reunidas...), o layout tipográfico das coletâneas oswaldianas sempre tivesse tido grande importância. Para isso contribuíram os desenhos de Tarsila e do próprio autor e os "achados" que são as capas: a do *Pau Brasil*, uma bandeira brasileira com a divisa mudada para "Pau Brasil"; a do *Primeiro caderno*, uma capa de caderno de curso primário, com florões inscritos dos nomes dos estados brasileiros e outras garatujas infantis. As ilustrações de Oswald para este segundo livro ligam-se intimamente a seu contexto, e é uma pena que, numa edição de tiragem comercial como a presente, não se possa reproduzir integralmente o plano original dessa obra. O livro de poemas de Oswald participa da natureza do livro de imagens, do álbum de figuras, dos quadrinhos dos *comics*. Sua atualidade neste particular é espantosa. Ainda há pouco, o crítico inglês John Willett, do corpo redatorial de *The Times Literary Supplement*, fazendo um balanço das relações entre artes visuais (pintura, gráfica) e literatura, salientava:[41] "parece que estamos no limiar de uma revolução no que respeita à maneira pela qual exprimimos nossos pensamentos"; estamos nos libertando das "limitações da prosa linear" e começando a aprender "como manipular a informação e a própria linguagem através de técnicas absolutamente novas"; estamos fadados a "desenvolver um modo menos restrito de escrever livros e transmitir informações e nele o uso de símbolos e o layout bidimensional na página deverão desempenhar um papel importante"; "a nova acuidade pública para a imagética visual, que a televisão estimulou, significa que uma combinação de palavras e ilustrações é hoje congenial para o leitor"; "que aspecto irá ter o livro parcialmente diagramático do futuro, com sua linguagem condensada e sua exata colocação de palavras e proposições na página?". Para chegar a essas considerações, Willett passara em revista as tendências da atual literatura de vanguarda, incluindo, ademais, um retrospecto das fontes históricas do fenômeno, tais como, de um lado, os exemplos mais recentes de poetas-pintores (Maiakóvski) e pintores-poetas (Klee), e, de outro, a tradição vitoriana de livros ilustrados (as estórias de Alice de Lewis Carroll), onde "o livro tornou-se impensável sem suas figuras"; isso sem esquecer as remotas origens da escrita pictográfica. No caso dos livros de estórias de Alice, podemos ensaiar uma explicação do problema em termos de teoria da informação: não se trata de ilustrações decorativas, mas de figuras intrinsecamente vinculadas ao processo informativo do texto, fornecendo assim uma coinformação no nível visual, solidária à mensagem verbal desse mesmo texto. O livro de poemas tal como o concebe Oswald — cuja imaginação visual o fez sempre um apaixonado da pintura (*Pau Brasil* e seu desdobramento na Antropofagia estão ligados, respectivamente, a duas fases concomitantes da obra pictórica de Tarsila do Amaral) — integra-se nessa tradição e, ao mesmo tempo, aponta decididamente para o futuro. O diário da garçonnière de Oswald-Miramar (1918-9), cujos originais foram preservados, é talvez a primeira manifestação desse novo sentido de livro na biografia literária do autor do *Pau Brasil* (trata-se de uma obra coletiva, constituída de anotações fragmentárias de Oswald e seus amigos, entremeadas de recortes de jornais e revistas, cartas, fotografias, bandeirinhas etc.).

Visualidade e imagem

Esta preocupação com a fisicalidade do livro corresponde, como resulta do que dissemos acima, a uma poesia de acentuado pendor plástico. A "fanopeia" da teoria imagista de Ezra Pound ("*the throwing of an image on the mind's retina*"), que Eliot disciplinou num sentido mais restrito de símile concreto com o seu *objective correlative* (ou seja, a correlação entre uma emoção particular e um conjunto de objetos, uma situação, uma cadeia de eventos), está presente espontaneamente na poesia de Oswald. Basta lembrar uma composição como "bucólica", ou então comparar com estes versos famosos de Eliot, de *The Love Song of J. A. Prufrock*, 1917:

When the evening is spread out against the sky
Like a patient etherised upon a table

estes outros do poema "jardim da luz" do *Pau Brasil*:

Os repuxos desfalecem como velhos
Nos lagos

É que a poesia oswaldiana inclinava-se naturalmente a "dar precedência à imagem sobre a mensagem, ao plástico sobre o discursivo", para nos valermos de uma fórmula que João Cabral de Melo Neto aplicou a Murilo Mendes. Se fizermos a análise mais meticulosa do processo de signos icônicos de um dos característicos poemas oswaldianos, o conhecido:

ditirambo
Meu amor me ensinou a ser simples
Como um largo de igreja
Onde não há nem um sino
Nem um lápis
Nem uma sensualidade

veremos que a articulação dos ícones (imagens) escapa da relação de tipo equacional do símile,[42] pois a *atitude metafórica* (que opera no plano da similaridade semântica) sofre a interferência da *atitude metonímica* (que age no plano da contiguidade sintática).[43] Assim, o real transposto em imagens é, ademais, reordenado por nexos imprevistos, pelo mesmo processo de singularização com que, num quadro cubista, uma figura reduzida ao detalhe ampliado de um olho é avizinhada de uma carta de baralho ou do bojo de uma guitarra. Uma coisa toma o lugar sintático da outra, o efeito é tomado pela causa eficiente, a parte pelo todo etc. No poema transcrito podemos reconhecer desde logo um símile concreto (do tipo "correlativo objetivo" eliotiano): *simplicidade* (fruto do amor) = *largo de igreja*. Em seguida, ocorrem duas metonímias: *sino* (por repicar de sinos) e *lápis* (por desenho de algo — objeto, pessoa ou mesmo sombra — feito a lápis; aqui a metonímia se deixa, por sua vez, metaforizar, pois há uma equação implícita entre a visão real de um largo de igreja vazio e silencioso — e, pois, *simples* — e a visão ideal, gráfica, de um largo de igreja assim desenhado, do croquis de um largo de igreja onde nenhum traço de lápis preencha o vazio representado pelo branco do papel). O último verso retoma o "correlativo objetivo", servindo-se dos lances concretos das metonímias intermediárias para evocar, através do contraste, a emoção abstrata (ausência de sensualidade); ou, numa equação com sinal negativo: cena sem vibrar de *sino*, paisagem sem toque de *lápis* = *não sensualidade*. Donde finalmente, fechando o circuito, este esquema de primeiro grau, perturbado pelos cortes metonímicos: *amor puro* (que ensina simplicidade) = *amor isento de sensualidade*.

Visualidade e estrutura

Mas a visualidade na poesia oswaldiana não é apenas uma questão de imagem visual. Assim como ela se reflete, macroestruturalmente, no projeto do livro, ela também afeta os poemas isoladamente considerados. Queremos nos referir, desde logo, à maneira oswaldiana de cortar e aparar o poema como um produto industrial seriado, como uma peça estampada a máquina. À maneira de ordená-lo tirando partido de certas constantes fônicas:

América do Sul
América do Sol
América do Sal

— uma verdadeira tomada pré-concreta, onde, numa arquitetura justa, esgotam-se todas as possibilidades de diversificação semântica latentes num dado esquema de trocas vocálicas, o todo compondo um ideograma do subdesenvolvimento latino-americano, tropical e dependente de exportações de matérias-primas e produtos alimentares (trata-se da introdução a um poema satírico — "hip! hip! hoover!", de 1928, no qual é focalizada a visita ao Brasil de Herbert Clark Hoover, presidente dos Estados Unidos entre 1929 e 1933).[44]

Importa aqui chamar a atenção para a geometria sucinta, a objetividade câmara-na-mão de uma composição como:

longo da linha
Coqueiros
Aos dois
Aos três
Aos grupos
Altos
Baixos

Ou para o movimento semântico-pendular, compassando a expectativa lírica, em:

relógio

As coisas são
As coisas vêm
As coisas vão
As coisas
Vão e vêm
Não em vão
As horas
Vão e vêm
Não em vão

— exemplo de visualização de uma *estrutura dinâmica* (diferente, porque intrínseca ao poema, da pintura do movimento, da cinemática descritiva de tantos trabalhos — poéticos ou plásticos — do futurismo italiano). Finalmente, note-se como as intenções burlescas são enfatizadas pela disposição visual em "a europa curvou-se ante o brasil", "escola berlites", "maturidade" (neste último, não só o texto habitual mas a disposição gráfica de um cartãozinho de participação de nascimento ao gosto comemorativo pequeno-burguês são ingredientes da paródia).

Visualidade e síntese

Compreende-se que o velho João Ribeiro, que se confessava um apaixonado dos livros de figura e do cinema[45] — nisso se mostrando agudamente um homem do século xx —, tenha tão bem entendido a poesia de Oswald de Andrade. Compreende-se que Roger Bastide tenha recorrido à pintura — e não por acaso à pintura extremamente despojada de Alfredo Volpi — para dar um equivalente do efeito do *Primeiro caderno* oswaldiano, o livro de 1927 onde o poeta voluntariamente senta-se no banco da escola primária, sob as ordens da professora Poesia, para restituir-se e restituir-lhe a pureza da descoberta infantil. "Poder-se-ia comparar esse caderno a certos quadros atuais que tentam ver a natureza através de uma alma de criança, e em especial às últimas tentativas de Volpi."[46] Em Volpi, como em Oswald, há uma ingenuidade assumida, que coexiste, sem paradoxo, com a consciência crítica; em ambos a sabedoria do olho é tomada em conta.[47] É no *Primeiro caderno* que surgem composições brevíssimas, como:

amor
Humor

(a primeira palavra funcionando como título e parte integrante da peça); eis aí o mais sintético poema da língua, tensão do músculo-linguagem, elementarismo contundente, ginástica para a mente entorpecida no vago, obra-prima do óbvio e do imediato atirada à face rotunda da retórica. Por esse poema se mede, com tonturas de vertigem — dentro da luso-brasileira "tradição de tagarelas" de que fala Rodrigues Lapa[48] —, até onde foi Oswald na sua radicalidade e como se distanciam dele, por esse aspecto, mesmo as mais ousadas investidas de seu companheiro Mário de Andrade. A visualidade propôs o *equilíbrio geômetra* e a *síntese*, o discursivo escoou pelo branco da página como por um vazado de arquitetura. A informação estética passou a ser produto não de uma "alta temperatura informacional do texto" (entendida em termos de opulência léxica, de "riqueza vocabular"), mas, ao contrário, da "baixa" violenta dessa "temperatura" no compressor linguístico do *poema-minuto* oswaldiano. É ainda por essa via que o laborioso e elaborado torneamento de uma poesia de índole artesanal começa a ser substituído pela simplificação deliberada de uma nova poesia, de tipo industrial.[49]

"Pau Brasil" e "Verdamarelismo"

Em 1927, dizia João Ribeiro a propósito do estilo inaugurado por Oswald: "Esse estilo de naturalidade selvagem possuía vida e solidez. Desde logo contaminou a antiga corporação dos materiais de Apolo. Começaram a imitá-lo com maior ou menor discrição. O folclore, as crônicas do descobrimento, a carta de Vaz de Caminha foram escutados como oráculos que haviam emudecido". Em 1928 acrescentava: "Escrevi de uma feita que os versos de Oswald de Andrade marcaram uma época na poesia nacional. O vaticínio era fácil e hoje o que mais me aborrece é a quantidade dos seus epígonos, nem sempre bem inspirados".[50] Evidentemente que, sendo esta poesia "o ovo de Colombo", na expressão feliz de Paulo Prado, prestava-se a diluições. Diluição, aliás, é sequela indefectível de toda poesia de invenção. Caracteriza-se o processo diluidor pela acomodação blandiciosa do novo ao velho, sob a forma do meio-termo. Adicionando-se doses maciças de redundância ao núcleo original da informação, esta, provida de recheio expletivo, de matéria excipiente, passa a tornar-se aceitável para sensibilidades menos radicais. Em relação à poesia "Pau Brasil", a diluição veio por volta de 1926, com o nome de "Verdamarelismo", depois "Escola da Anta", sob a responsabilidade principal de Menotti Del Picchia, Cassiano Ricardo e Plínio Salgado. O "Verdamarelismo" propunha-se combater os resquícios parisienses no "Pau Brasil", mas, na verdade, através deste expediente diversionista, capeado de nativismo, procurava escamotear o pesado tributo temático e estilístico que pagava às inovações oswaldianas,[51] das quais era um sucedâneo edulcorado, em pauta decorativa e superficial. Mescla de provincianismo recalcitrante com pretensões sobranceiras de revisão crítica, o "Verdamarelismo" traduzia, no fundo, um compromisso restaurador, sestroso, mas nem por isso menos identificável. Basta que se compare o manifesto "Nhengaçu Verde-Amarelo" de 1929[52] com os manifestos de Oswald. O jargão da plataforma da "Anta" é um decalque aguado e sem humor da escrita rápida, acionada a descargas elétricas, dos textos oswaldianos. O anarquismo revolucionário de Oswald vira, no documento "verdamarelo", conservantismo prudente e cheio de indefinições ("Aceitamos todas as instituições conservadoras, pois é dentro delas mesmo que faremos a inevitável renovação do Brasil, como o fez, através de quatro séculos, a alma da nossa gente, através de todas as expressões históricas"). A visão do homem brasileiro na perspectiva da devoração é amornada num neoindianismo de calungas em tecnicolor, pouco diferente, como grandiloquência vazia, do velho "porquemeufanismo" do conde Afonso Celso (pense-se, por exemplo, no "gigantismo" caricatural do *Martim Cererê*). E aqui não releva considerar que as manifestações "verdamarelas" tenham eclodido entre o "Manifesto da Poesia Pau Brasil" de 1924 e o "Manifesto Antropófago" de 1928, porque na realidade, para o olho crítico, estes dois textos oswaldianos formam uma peça única, o segundo estando contido fundamentalmente no primeiro.[53] Por outro lado, não é de admirar que esse "Verdamarelismo" e/ou "Anta", com seu nacionalismo de matiz peculiar, tenha acabado por redundar no fascismo indígena: "Do grupo *verdamarelo* nascem o 'Integralismo' e a 'Bandeira'. E pronto" —, depõe enfático Cassiano Ricardo no epílogo de um artigo-balanço divulgado em 1939.[54]

Indianismo às avessas

"Triste xenofobia que acabou numa macumba para turistas" — eis como Oswald de Andrade define o ambíguo substitutivo "verdamarelo".[55] A busca oswaldiana do primitivo, da elementaridade, nada tem a ver com o neoindianismo ornamental e postiço dos partidários da "Anta". Na sua derradeira série de artigos — "A marcha das utopias" —, Oswald fornece-nos elementos que bem esclarecem este ponto. Primeiro, indigitando o "ufanismo" como "um dos males da nacionalidade" e localizando-o, exemplificativamente, em certa interpretação do "bandeirismo" à base de concepções esquemáticas tipo "raça de gigantes".[56] Em seguida, lembrando uma frase do "Manifesto Antropófago": "Contra o índio de tocheiro. O índio filho de Maria, afilhado de Catarina de Médicis e genro de d. Antônio de Mariz", para mostrar que seu "índio" nada tinha a ver com "os índios conformados e bonzinhos de cartão-postal e de lata de bolacha".[57] O "índio" oswaldiano não era o "bom selvagem" de Rousseau, acalentado pelo romantismo e, entre nós, "ninado pela suave contrafação de Alencar e Gonçalves Dias". Tratava-se de um *indianismo às avessas*, inspirado no selvagem brasileiro de Montaigne ("Sobre os canibais"), de um "mau selvagem", portanto, a exercer sua crítica (devoração) desabusada contra as imposturas do civilizado.[58] O único precursor de Oswald, nesse sentido, parece ter sido o poeta maranhense Sousândrade (1832-1902), que se utilizou satírica e realisticamente de pretextos indianistas no episódio infernal "Tatuturema" de seu poema longo "O Guesa" (muito a propósito, Edgard Cavalheiro chamou-o, por isso mesmo, "O antropófago do romantismo").[59]

Língua e linguagem

Oswald recorreu a uma sensibilidade primitiva (como fizeram os cubistas, inspirando-se nas geometrias elementares da arte negra) e a uma poética da concretude ("Somos concretistas", lê-se no "Manifesto Antropófago") para comensurar a literatura brasileira às novas necessidades de comunicação engendradas pela civilização técnica. Sua ideia antropofágica, repara Oliveira Bastos, não se encaminhava, como a da "Anta", para uma literatura de "temas exóticos, de efeito turístico garantido", mas se vinculava à revolução tecnológica, ao "novo ciclo de *disponibilidade órfica*", por ela provocado.[60] Se há em Oswald uma reivindicação por uma "língua sem arcaísmos", "natural e neológica", pela matéria oral e factual, pela "contribuição milionária de todos os erros", esta não se esgota na alforria do português falado no Brasil, miscigenado no trepidante caldeirão racial de São Paulo, da tutela dos puristas, que lhe queriam impor os estalões lusitanos da expressão castiça e lhe pretendiam embargar o acesso ao panteão reservado da literatura escrita. O roteiro oswaldiano tem mais longo alcance, maior conteúdo prospectivo. Oswald não se ensimesmou, não se deixou emurar no pseudoproblema de uma nova codificação gramatical para essa *língua brasileira*, mas, antes, sua luta por um idioma nosso livre e descontraído é apenas um aspecto de um programa mais aberto e mais consequente, e que só pode ser entendido em termos da tomada de consciência de um processo geral de atualização do sistema de comunicações posto em xeque pela Revolução Industrial ("Será esse o Brasileiro do século XXI?", diz ele no prefácio joco-sério ao *Miramar*, perguntando-se sobre o destinatário de seu "trabalho de plasma de uma língua modernista"). Daí a pertinência de uma distinção de Décio Pignatari,[61] que gostaríamos de formular assim: o empreendimento oswaldiano, a uma análise rigorosa, projeta-se para o campo da *linguagem* — no sentido amplo em que são também manifestações da linguagem o cinema, a pintura, a diagramação do jornal, a selva de símbolos da urbe contemporânea etc. —, para além da restrita esfera da *língua* (espécie verbal do gênero *linguagem*, da qual a *língua brasileira* ou o português do Brasil é apenas um fenômeno tópico). Do ponto de vista de uma sociologia da literatura, isso significa que a experiência oswaldiana acusa, no quadro da crise geral da linguagem suscitada pelos novos instrumentos de comunicação e reprodução da informação da era tecnológica, o momento brasileiro em que, a essa crise, se somava, singularizando-a, a fratura socioestrutural definidora das contradições de nosso país, daquele nosso "conflito fundamental", ainda hoje não resolvido. Mas significa também, e este ponto é relevante, que Oswald não procurou imobilizar essa situação de trânsito, fluente, no estatuto coercitivo de uma nova sistematização linguística — a *língua brasileira*, pronta e legitimada por regras (convertida por sua vez em modelo) —, projeto com que, a certa altura e em certa medida, Mário de Andrade chegou a sonhar, mas do qual, na prática, também se afastou.[62]

Os poemas longos

Na década de 40, na última fase de sua produção poética, Oswald escreveu poemas longos, ou o que se poderia denominar de poemas longos à maneira oswaldiana: séries de poemas curtos, montados ou justapostos ideogramicamente num todo maior, prescindindo frequentemente de ligaduras explícitas. Trata-se do *Cântico dos cânticos para flauta e violão* (1942) e de *O escaravelho de ouro* (1946).

Lirismo e participação

O *Cântico dos cânticos* é um raro exemplo de fusão, de integração poética funcional do eu lírico com o eu coletivo ou participante.[63] Nele reaparece a experiência primeira do poeta, informando as sequências de tomadas lírico-satíricas ou lírico-dramáticas, atravessadas pelo hábil aproveitamento do coloquial, da linguagem tabelioa, do clichê revitalizado. É um poema dedicado à celebração da mulher amada — poema do amor total, conquistado ao cabo de andanças e lutas, na maturidade da prática da vida — e também um poema de defesa intransigente e obstinada desse amor, contra tudo e contra todos, convenções ou pessoas, que a ele se opunham:

E se ele vier
Defenderei
E se ela vier
Defenderei
E se eles vierem
Defenderei
E se elas vierem todas
Numa guirlanda de flechas
Defenderei
Defenderei
Defenderei

O *páthos* amoroso alcança uma grande densidade justamente através do agudo despojamento. Estruturalmente, o *Cântico* se compõe de quinze fragmentos, titulados separadamente desde "oferta" até "encerramento e gran-finale" (como de norma em Oswald, os títulos acabam se integrando no corpo das respectivas seções do poema). O procedimento estilístico que parece ter maior incidência no *Cântico* é a técnica de repetições, seja o andamento anafórico e paralelístico, seja a simples reiteração topológica de palavras iguais ou parônimas. Aliás, se se pode identificar uma *célula rítmica* básica na construção sonora dos textos oswaldianos, esta será a repetição de tipo aliterativo ("coral caído", "duro dorso"), agnominativo ("bonançosa bonança") ou em eco ("mim"/ "Alkmin").[64] À medida que o poema progride, a defesa da mulher amada se confunde com a defesa da humanidade (estamos em plena Segunda Guerra Mundial, nos dias sombrios da agressão nazifascista):

Eles querem matar todo amor
Corromper o polo
Estancar a sede que eu tenho d'outro ser
[...]
Atira
Atira
Resiste
Defende
De pé
De pé
De pé
O futuro será de toda a humanidade

No "encerramento e gran-finale", depois de um breve epitalâmio ("himeneu"), cuja sedução nasce do arranjo inusitado de frases triviais, indicativas de operações cotidianas; depois de "black-out", rodízio apocalíptico, entremeado de imagens fálicas e bélicas, onde ocorre uma transposição do tema amoroso para o social através do jogo paronomástico entre "sereias", nas suas duas acepções, e "searas":

Da podridão
As sereias
Anunciarão as searas

— no "encerramento e gran-finale" o poeta alcança a pacificação e o momento de plenitude amorosa:

Viveremos
O corsário e o porto
Eu para você
Você para mim
Maria Antonieta d'Alkmin

E é neste final-trégua que se imbrica, avassaladora, sem solução de continuidade, como um *shot* seguindo a outro numa "montagem de atrações" do cinema à Eisenstein — como as imagens das vítimas da catástrofe atômica aliadas às tomadas do enlace amoroso em *Hiroshima, mon amour* de Resnais —, a visão do cerco e afinal da resistência e da vitória de Stalingrado, cuja epopeia o poeta de longe acompanhava, num mesmo frêmito, enquanto vivia sua experiência amorosa culminante:

Para lá da vida imediata
Das tripulações de trincheira
Que hoje comigo
Com meus amigos redivivos
Escutam os assombrados
Brados de vitória
De Stalingrado

No nível estrutural, estes dois fragmentos derradeiros do *Cântico* estão entrelaçados por aquela projeção, na camada sonora, da técnica de repetições que, na dimensão sintático-semântica, constitui a tônica estilística do poema: "mim" repercute em "Alkmin", assim como "brados" ressoa em "assombrados" e ricocheteia, toantemente, em "Stalingrado". O encadeamento de motivos — a telescopagem do eu lírico e do eu participante, da vivência amorosa e da convivência política — se opera não por um pacto exterior, mas por dentro, na textura mesma da linguagem, o que lhe confere uma singular eficácia. Lendo este *Cântico*, compreende-se que, para Oswald, o conteúdo participante era indesligável da elaboração formal. Num debate com Rossini Camargo Guarnieri, registrado por Mário da Silva Brito,[65] rebatendo a tese de que há uma poesia que é entendida imediatamente pelo povo e outra que a ela se opõe, nefelibata e egoísta, Oswald sustentava: "É preciso dar cultura à massa", "a melhor poesia atinge o povo pela exegese"; e mais, num jogo de palavras carregado de significado: "a massa ainda comerá o biscoito fino que fabrico". Estas concepções têm muitos pontos em comum com as de Maiakóvski sobre o mesmo problema, expostas num texto de 1928, "Os operários e os camponeses não vos compreendem".[66] É também basicamente a mesma posição de Brecht, quando afirma que os novos conteúdos exigem novas formas, e que a desastrosa separação entre forma e conteúdo ocorre tanto com a imposição de formas novas a conteúdos velhos, como com a sujeição de conteúdos novos a formas peremptas.[67]

O escaravelho de ouro

Do mesmo canteiro de trabalho que deu o *Cântico dos cânticos para flauta e violão* sai *O escaravelho de ouro*, cujo título contém uma evidente alusão ao inseto criptográfico do célebre conto de Edgar Allan Poe. É uma espécie de mensagem cifrada do poeta quase sexagenário à filha criança do seu último casamento. Dirigindo-se a ela, o poeta procura adivinhar-lhe o futuro à luz de sua própria experiência de vida ("Abandonarás papai e mamãe/ Pelo tênis de bordo" [...] "Correrá atrás da mentira/ O anjo de pernas curtas"), mas, no fundo, retorna sobre si mesmo, faz o seu memorial de poeta "compromissado com a liberdade", meditando sobre a marginalização do artista num mundo dominado por valorações mercantilistas e esquemas dogmáticos ("Ninguém quis comprar o poeta"; "Venceu o sistema de Babilônia/ E o garção de costeleta"). O poema se transforma num registro onírico, tocado aqui pela imagética surrealista, mas a fragmentação típica de Oswald contém o desgarre discursivo e o rasgo satírico providencia um constante anticlímax à emoção:

promontório

Que há por aí?

Amor

Chuvas ao longe

Jogo

Mormaço

Mentira

Radar

("Há em mim um desejo de limpeza e de expurgo que não dirime as cataratas de meu universo interior", proclamaria Oswald no seu discurso jubilar, apanhando o problema pela outra ponta).[68] Este poema, travado de desencanto, assinala bem a crise ideológica que começou em Oswald por volta de 45, após o ativismo iniciado nos anos 30. Documento teórico dela será a tese *A crise da filosofia messiânica*, de 1950, onde Oswald procede à revisão dos messianismos (entre os quais inclui o marxismo institucionalizado), sob o influxo do anarquismo antropofágico, reencontrado e tingido agora de sartriano existencialismo.

Poesia ou texto?

A obra poética de Oswald de Andrade tem sido e continua sendo objeto da negação de muitos. Até mesmo um Manuel Bandeira, o decano do nosso modernismo — e o poeta da oswaldiana "Balada das três mulheres do sabonete Araxá" —, deixa, surpreendentemente, de representá-la no corpo principal de sua *Apresentação da poesia brasileira*,[69] sob a alegação, pouco consistente, de que Oswald teria feito poesia "menos por verdadeira inspiração do que para indicar novos caminhos", de que os poemas oswaldianos seriam "versos de um romancista em férias, de um homem muito preocupado com os problemas de sua terra e do mundo, mas, por avesso à eloquência indignada ou ao sentimentalismo, exprimindo-se ironicamente, como se estivesse a brincar". Por essas considerações verifica-se que, mesmo perante observadores qualificados, essa poesia não perdeu sua contundência, fruto de sua radicalidade. Desidentificou-se tão violentamente do que se convencionava chamar poesia ou "inspiração poética" em seu tempo e mesmo nos anos sucessivos ao modernismo heroico, que se torna difícil, para muitos, tomá-la *a sério* como poesia. Seria mister, para tanto, uma prévia purga de preconceitos arraigados e padrões embaraçantes, uma revisão também radical da visão e das reações semânticas a ela usualmente condicionadas. A este ato de humildade e coragem muitos não estavam e não estão dispostos. De outro lado, a poesia de Oswald de Andrade arrosta com um prejuízo de natureza diferente, talvez ainda mais fundo. Aquele contra o qual nos adverte Max Bense:

> observa-se no trato diário com que satisfação cada cidadão interpreta a imutabilidade de sua linguagem no sentido da estabilidade do seu mundo. A desconfiança contra os experimentos na esfera inteligível tem, portanto, origens sociais. É a desconfiança da classe, que não gosta de ver em perigo sua hierarquia, seus distintivos, seus emblemas. Nem sequer no domínio da língua que se fala.[70]

Chamá-la poesia ou não, porém, não é o essencial. Na verdade, esta poesia (como a prosa oswaldiana, a ela tão intrinsecamente ligada) desborda dos cediços compartimentos dos denominados "gêneros literários", evoluindo para uma ideia mais válida e mais atual de *texto*: informação estética materializada num sistema de signos dotado de autonomia e coerência, avaliável por seu teor de originalidade (no sentido de imprevisibilidade estatística) — ideia para a qual marcha também toda uma série de manifestações contemporâneas, da nova poesia ao novo romance.

Função da crítica

Qual o propósito desta introdução, que ultrapassou o marco que lhe estava reservado, exigindo-se mais longa do que imagináramos? Qual, em fim de contas, a função da crítica perante um legado poético como este de Oswald de Andrade? "A crítica" — responde-nos Roland Barthes[71] — "não é uma *homenagem* à verdade do passado, ou à verdade do *outro*, ela é construção do inteligível de nosso tempo" [...] "A atividade crítica ajuda, simultânea e dialeticamente, a decifrar e a constituir [...] uma forma geral, que seria o inteligível mesmo que nosso tempo dá às coisas." Diante de uma poesia como a de Oswald de Andrade, cujo mundo de signos, qual uma formação de cristais articulada sob a água, apenas oferece à percepção de superfície as suas cristas, não temos dúvida de que a função da crítica será, precisamente, reconstituir (ou constituir), à luz e com os instrumentos de nosso tempo, essa *inteligibilidade*, incorporando à visível a face não visível do sistema, a qual, por não se dar à primeira abordagem, nem por isso é menos real, menos tangível, menos portadora de existência; configurando a estrutura-lastro, não ostensiva mas virtualmente presente desse idioma poético rarefeito, que, sobre ela, apoiando-se nela, ergue suas palavras ou frases-ilhas, para aflorar contido e lacunar, conciso e descontínuo, ao branco do papel. E isso em modo dialético, sem por sua vez, nesta empresa de reconstituição, de convergência inteligível do aparente e do não aparente, afetar a linha de flutuação do sistema, destruir-lhe o frágil equilíbrio cristalino, que lhe confere seu ser e sua singularidade. Se esta introdução tiver conseguido algo nesse sentido, terá conquistado sua necessidade.

São Paulo, novembro de 1965.

Notas

1 Os textos citados encontram-se em *Sur la littérature et l'art* (Paris: Éditions Sociales, 1954, pp. 138; 142). O segundo excerto é de Marx e Engels.

2 "O modernismo", depoimento publicado na revista *Anhembi* (São Paulo, ano v, v. 17, n. 49, pp. 31-2, dez. 1954).

3 Caio Prado Jr., *História econômica do Brasil*. São Paulo: Brasiliense, 1962, p. 267.

4 Ibid., pp. 292-3.

5 Celso Furtado, "Obstáculos políticos ao crescimento econômico no Brasil". *Revista Civilização Brasileira*, Rio de Janeiro, ano I, n. 1, pp. 129-45, mar. 1965.

6 Ver Mário da Silva Brito, *História do modernismo brasileiro* (São Paulo: Saraiva, 1958, pp. 198-215 [6. ed. Rio de Janeiro: Civilização Brasileira, 1997]).

7 "O livro era de claro epigonismo parnasiano: Mário, na ocasião, admirava Vicente de Carvalho e vivia à cata de chaves de ouro", escreve Péricles Eugênio da Silva Ramos em *A literatura no Brasil* (Rio de Janeiro: São José, 1969, p. 496. v. 3: Era Romântica).

8 O crítico Oliveira Bastos, que levantou esse traçado em "Esquema, poesia e processo" (*Diário de Notícias*, Rio de Janeiro, 1 jan. 1956), fala, a propósito, em um *continuum formal*, acrescentando: "coisa rara em toda a história de nossa literatura". O crítico se detinha então em João Cabral, embora acenasse, no remate de seu artigo, para as experiências em andamento da poesia mais jovem (o Grupo Noigandres e Ferreira Gullar).

9 Em "Advertência inicial" ao *Losango*, datada de 1924, Mário indica o ano de 1922 como o da composição dos poemas nele incluídos. E confessa ter-se decidido a publicá-los com reservas:

> Vivo parafusando, repensando e hesito em chamar estas poesias de poesias. Prefiro antes apresentá-las como anotações líricas de momentos da vida e movimentos subconscientes aonde vai com gosto o meu sentimento possivelmente pau brasil e romântico. Hoje estou convencido que a Poesia não pode ficar nisso. Tem de ir além.

De que data seria a composição dos poemas constantes de *Pau Brasil*? Do biênio 1923-4? O prefácio de Paulo Prado é de maio de 1924, de 18 de março do mesmo ano a primeira publicação do "Manifesto da Poesia Pau Brasil", no *Correio da Manhã*, do Rio de Janeiro. Temos em mãos, por exemplo, o caderno de exercícios que constitui o original do *Primeiro caderno do aluno de poesia Oswald de Andrade*, livro que se acabou de imprimir em 25 de abril de 1927.

Na capa do caderno original, há as seguintes datas expressas: "começado em 1925, acabado em 1926". Intervalo análogo poderia ter perfeitamente ocorrido, mutatis mutandis, entre o início da elaboração e a final publicação (em 1925) do *Pau Brasil*, cujos poemas, já salientamos, têm um nexo estilístico óbvio com a prosa estenogrâmica do *Miramar*. Em carta de 1928 a Alceu Amoroso Lima (Lygia Fernandes, *71 cartas de Mário de Andrade*. Rio de Janeiro: São José, s.d., pp. 29-30), Mário dá seu depoimento:

> [...] a respeito de manifestos do Osvaldo eu tenho uma infelicidade toda particular com eles. Saem sempre num momento em que fico *malgré moi* incorporado neles. Da primeira feita quando o Osvaldo andava na Europa e eu tinha resolvido *forçar a nota* do brasileirismo meu, não só pra apalpar o problema mais de perto como pra chamar a atenção sobre ele (se lembre que na *Pauliceia* eu já afirmava falar brasileiro porém ninguém não pôs reparo nisso) e Osvaldo me escrevia de lá "venha pra cá saber o que é arte", "aqui é que está o que devemos seguir" etc. Eu, devido minha resolução, secundava daqui: "só o Brasil é que me interessa agora", "Meti a cara na mata virgem" etc. O Osvaldo vem da Europa, se paubrasiliza, e eu publicando só então o meu *Losango cáqui* porque antes os cobres faltavam, virei pau brasil pra todos os efeitos. Tanto assim que com certa amargura irônica botei aquele "possivelmente pau brasil" que vem no prefacinho do livro. Que que havia de fazer?

Interessante notar, por sob o tom reivindicativo dessa carta, que Mário parecia considerar impossível o que, para o viajado Paulo Prado, era simplesmente natural:

> Oswald de Andrade, numa viagem a Paris, do alto de um atelier da Place Clichy — umbigo do mundo — descobriu, deslumbrado, a sua própria terra. A volta à pátria confirmou, no encantamento das descobertas manuelinas, a revelação surpreendente de que o Brasil existia. Esse fato, de que alguns já desconfiavam, abriu seus olhos à visão radiosa de um mundo novo, inexplorado e misterioso. Estava criada a poesia "Pau Brasil".

Mário fixava-se talvez na ideia autojustificativa de que esta descoberta só poderia ocorrer, com autenticidade, numa viagem à roda do próprio quarto, convenientemente aprovisionada de livros da última fornada da vanguarda estrangeira... (basta conferir, nesse sentido, o eclético e mesmo tumultuário elenco bibliográfico de *A escrava que não é Isaura*). E se recorde agora o caso do erramundo Joyce, que não soube ter outro cenário, senão a Irlanda natal, para os seus escritos de exilado voluntário. Mas os bastidores cronológicos importam aqui apenas lateralmente. O que conta, objetivamente, do ponto de vista da análise estética, é que o *Pau Brasil* foi mais longe na sua postura antidiscursiva, de consequências paradigmais na evolução da poesia brasileira, do que a poesia marioandradina anterior ou posterior a ele.

10 João Ribeiro, *Crítica: Os modernos*. Rio de Janeiro: Academia Brasileira de Letras, 1952, pp. 90-4.

11 Op. cit., p. 96, artigo referente a *A estrela de absinto*.

12 Mário de Andrade, *Cartas a Manuel Bandeira*. Rio de Janeiro: Simões, 1958, p. 174. [Ed. atual: *Correspondência Mário de Andrade & Manuel Bandeira*. São Paulo: Edusp; IEB, 2001]

13 *Le Marxisme*, Paris: Presses Universitaires de France, 1958, p. 28, nota 1. [Ed. bras.: São Paulo: Difel, 1963] [5. ed., 1979]

14 "Eu nunca fui capaz de contar sílabas. A métrica era coisa a que minha inteligência não se adaptava, uma subordinação a que eu me recusava terminantemente" (depoimento a Mário da Silva Brito, op. cit., p. 26). Coisa semelhante dizia Maiakóvski:

> Falando francamente: não sei o que são nem iambos nem troqueus, jamais os distingui e jamais os distinguirei. Não porque isto seja uma coisa difícil, mas sim porque em meu trabalho poético nunca tive necessidade de ocupar-me dessas trucagens. [...] Quanto às regras métricas, eu não conheço nenhuma delas. [...] É dever do poeta, precisamente, desenvolver em si mesmo o sentido do ritmo, e não decorar métricas alheias. (*Como se fazem versos*, estudo publicado em 1927)

15 Sobre "O psicologismo na poética de Mário de Andrade", ver o excelente trabalho de Roberto Schwarz em *A sereia e o desconfiado* (Rio de Janeiro: Civilização Brasileira, 1965 [2. ed. Rio de Janeiro: Paz e Terra, 1981]).

16 Ver carta de 26 de setembro de 1928 a Bandeira, em *Cartas a Manuel Bandeira*, op. cit., pp. 210-1.

17 Lygia Fernandes, *71 cartas de Mário de Andrade*, op. cit., p. 63.

18 Bertolt Brecht, *Ueber Lyrik*. Frankfurt: Suhrkamp, 1964, pp. 114-5; Walter Jens, posfácio a Bertolt Brecht, *Ausgewaehlte Gedichte* [*Poemas escolhidos*] (Frankfurt: Suhrkamp, 1960); Anatol Rosenfeld, posfácio à edição brasileira de Bertolt Brecht, *Cruzada de crianças* (São Paulo: Brasiliense, 1962).

19 Expressão de Décio Pignatari em "Marco zero de Andrade" (Suplemento Literário de *O Estado de S. Paulo*, São Paulo, 24 out. 1964).

20 Walter Benjamin, "L'Oeuvre d'art au temps de ses techniques de reproduction". In: ______. *Oeuvres choisies*. Paris: Julliard, 1959. [Ed. bras.: José Lino Grünewald, *A ideia do cinema*. Rio de Janeiro: Civilização Brasileira, 1969]

21 Erro já refutado por Oliveira Bastos no artigo "Vinte e dois e forma" (*Diário Carioca*, Rio de Janeiro, 1 abr. 1956). Para assinalar a vocação construtiva do modernismo, Bastos lembra que Oswald definira-se a si próprio e a seus companheiros como "um restrito bando de formalistas negados e negadores" (discurso proferido no Trianon em 9 de janeiro de 1921 e que vale por um pré-manifesto modernista). No ano jubilar do *Pau Brasil*, Oswald diria, também em discurso: "[...] sei que no fundo de um autêntico revolucionário está sempre um legalista" (Suplemento Literatura e Arte, *Jornal de São Paulo*, São Paulo, 26 mar. 1950). Mário de Andrade, em artigo de 1924 sobre o *Miramar*, opina que, embora as intenções de Oswald tivessem sido "francamente construtivas", o livro saíra "a mais alegre das destruições. Quase dadá"; mais adiante, porém, no mesmo trabalho, reconhece: "Mostrei sobretudo a acentuada formação destrutiva das *Memórias sentimentais*. Apesar de seu esperto fracionamento episódico o romance está excelentemente construído. Movimento e intensa vida" ("Osvaldo de Andrade", *Revista do Brasil*, São Paulo, n. 105, pp. 26-32, set. 1924). Mário tangia assim a dialética *destruição/construção* já no pioneiro romance-invenção de Oswald, onde, como vimos, encontram-se as matrizes da poesia "Pau Brasil".

22 "Kitsch e cultura di massa". *Almanacco Letterario Bompiani*, Milão, pp. 31-2, 1965.

23 O comportamento de Oswald e de Mário perante Mallarmé merece ser confrontado. Enquanto Oswald parece ter compreendido em toda a sua importância — via futurismo e cubismo — o alcance da revolução mallarmaica (e a passagem transcrita de seu "Manifesto" o atesta, como mais tarde o testemunharão referências em seu comunicado ao I Congresso Brasileiro de Filosofia — "Um aspecto antropofágico da cultura brasileira" [*Anais*, São Paulo: IBF, v. 1, 1950] e nas páginas de seu *Diário confessional*, 1948-9 [*Invenção*, São Paulo, n. 4, dez. 1964]), Mário, como já vimos, repele em *A escrava que não é Isaura* o mestre da rue de Rome. Primeiro, para sair em defesa da eloquência (op. cit., p. 220). Depois, porque em sua maneira de ver "Mallarmé desenvolvia friamente, intelectualmente, a analogia primeira produzida pela sensação" (ibid., p. 282). Entre Mallarmé e Cocteau, opta por este último: "Ninguém negará que a maioria das obras de Mallarmé é fria como um livro parnasiano — o que não quer dizer que todas as obras parnasianas sejam frias. Mallarmé caminha por associações de ideias conscientes, provocadas. Cocteau deixa-se levar cismativamente por *associações alucinatórias* originadas da imagem produzida pela primeira sensação" (ibid., p. 283). No posfácio de *A escrava que não é Isaura*, datado de novembro de 1924, Mário retifica sua concepção inicial de um "lirismo subconsciente" fundado na "bancarrota da inteligência", para proclamar: "Nos discursos atuais, rapazes, já é de novo a inteligência que pronuncia o tenho-dito" (outra vez uma esquematização não dialética do problema, como reparou Roberto Schwarz no seu estudo antes mencionado sobre o "psicologismo" na poética marioandradina). Mas é do mesmo ano uma carta a Manuel Bandeira (op. cit., pp. 66-7), na qual o autor da *Pauliceia* afirma o seu pouco interesse pela "linha Mallarmé".

24 Ver Robert Motherwell (org.), *The Dada Painters and Poets: An Anthology* (Nova York: Wittenborn, 1951, p. 356).

25 Apud Michel Ragon, *Naissance d'un Art Nouveau.* Paris: Albin Michel, 1963, p. 134.

26 "Marco zero de Andrade", op. cit.

27 Apud Michel Ragon, op. cit., pp. 136-7.

28 Suplemento Literatura e Arte, *Jornal de São Paulo*, São Paulo, 26 mar. 1950.

29 Haroldo de Campos, "A poesia concreta e a realidade nacional". *Tendência*, Belo Horizonte, n. 4, pp. 83-6, 1962. Resumimos então da seguinte maneira a tese de Guerreiro Ramos (*A redução sociológica.* Rio de Janeiro: Tempo Brasileiro, 1958 [2. ed., 1965]):

> Forma-se em dadas circunstâncias uma "consciência crítica", que já não mais se satisfaz com a "importação de objetos culturais acabados", mas cuida de "produzir outros objetos nas formas e com as funções adequadas às novas exigências históricas"; essa produção não é apenas de "coisas", mas ainda de "ideias".

30 Antonio Candido, *Literatura e sociedade.* São Paulo: Companhia Editora Nacional, 1965, pp. 144-5. [10. ed. Rio de Janeiro: Ouro sobre Azul, 2008]

31 *Sur la littérature et l'art*, op. cit., p. 220.

32 Antonio Candido, José Aderaldo Castello, *Presença da literatura brasileira.* São Paulo: Difel, 1964, pp. 16-7. v. 3: Modernismo. [10. ed. Rio de Janeiro: Bertrand Brasil, 1997]

33 Discurso no jubileu do *Pau Brasil*, op. cit.

34 "Homenagem a Blaise Cendrars" (I a IV), Suplemento Literário de *O Estado de S. Paulo*, São Paulo, 17 jun.-7 ago. 1965.

35 Importante depoimento prestado a Péricles Eugênio da Silva Ramos (*Correio Paulistano*, São Paulo, 26 jun. 1949), excerto transcrito em *A literatura no Brasil*, op. cit., p. 494. Sobre as relações de Cendrars com os modernistas brasileiros, há agora a consultar o importante trabalho de Aracy Amaral, *Blaise Cendrars no Brasil e os modernistas* (São Paulo: Martins, 1970 [2. ed. São Paulo: Ed. 34; Fapesp, 1997]). É precioso o levantamento de fatos e informações efetuado pela estudiosa paulista. No entanto, já nos parece menos feliz, no seu estudo, a ênfase conferida a uma posição "magisterial" de

Cendrars em relação aos nossos modernistas, sobretudo quanto a Oswald (p. 86). Cendrars era, antes de mais nada, um "ser de mediação" (P. Furter), pronto tanto a dar quanto a receber. A forte impressão que os poemas "Pau Brasil" de Oswald, ainda inéditos, fizeram sobre Cendrars é registrada por Aracy, através de um depoimento de Tarsila (p. 89; ver também esta observação de Aracy, pp. 1-2: "Liam-se mutuamente poemas Cendrars e Oswald, em sua época de maior intimidade intelectual, ou seja, em todo o decorrer de 1924, e Cendrars admirou e acompanhou de perto a criação dos poemas de *Pau Brasil*"). Assim, não há como deixar de acolher a afirmação do próprio Oswald, acima transcrita, de que Cendrars "também escreveu conscientemente poesia Pau Brasil". Aliás, típicos poemas "Pau Brasil", em tema e forma, já se entremeiam nos trechos nominalmente em "prosa" do *Miramar*, concluído na Europa em 1923, antes da chegada de Cendrars ao nosso país (fevereiro de 1924), assim como *A negra* de Tarsila, de 1923, já prenuncia a fase "antropofágica" da pintora. Se é inegável que Cendrars exerceu ponderável influência sobre Oswald e Mário (e por trás, tanto do suíço como dos brasileiros, estavam os manifestos e premonitórias descobertas do futurismo italiano), não parece menos certo, quanto à introdução do espírito e da temática "Pau Brasil" em poemas de *Feuilles de route* (a primeira parte desse livro, *Le Formose*, foi publicada em dezembro de 1924; em março do mesmo ano, saíra o manifesto poético de Oswald), ter havido uma evidente permutação dessa influência. E é Cendrars, desta vez, quem se deixa "pau brasilizar" sob o fascínio do autor do *Miramar*. Mas o traçado de influências acaba sendo secundário, e pode mesmo descambar em querela irrelevante, como prova a conhecida pendenga Huidobro × Reverdy. O decisivo é notar que, enquanto a poesia de Oswald é fundamental para a nova literatura brasileira, justamente pelo gume crítico que o poeta soube dar a seu "estilo-montagem", a de Cendrars, à qual falta este ingrediente essencial (como o reconhece Aracy, p. 90), não tem sido objeto de semelhante reivindicação pela atual vanguarda de expressão francesa ("Tel Quel", "Change"), certamente porque, com seu gosto obsessivo pelo exótico, acabou quase sempre limitada à disponibilidade colorida, ao detalhístico e ao pitoresco. Depois de registrar na poesia oswaldiana a interação de dois polos, a "destruição do velho" (por exemplo, as paródias de peças de "antologia") e o "reconhecimento do novo", The Times Literary Supplement ("Brazil Wood", Londres, 24 nov. 1966) repara: "Todavia, diferentemente de alguns escritores de vanguarda europeus — entre os quais seu amigo Blaise Cendrars — esse reconhecimento do novo não se limitou ao moderno vocabulário dos transportes, trens e telefone, mas estendeu-se integralmente ao tom (*mood*) e à estrutura do poema".

36 Oswald de Andrade, "O caminho percorrido". In: ______. *Ponta de lança*. São Paulo: Martins, [1945?], p. 118. [5. ed. São Paulo: Globo, 2004]

37 Carta de 1922 ou 1923 a Manuel Bandeira, em *Cartas a Manuel Bandeira*, op. cit., p. 16.

38 *Du Monde entier au coeur du monde*. Paris: Denöel, 1947.

39 "Kodak", *Diário de S. Paulo*, São Paulo, 19 jan. 1964. (O exemplo fornecido por Braga parece de evidência indiscutível. O poema "Fernando de Noronha" de Cendrars inclui-se na parte II de *Feuilles de route*, tendo sido publicado em 1928, em revista. Como "Pernambouco", deve pertencer à fase da segunda viagem de Cendrars ao Brasil, ou seja, 1926; ver, a respeito dessa fase, Aracy Amaral, op. cit., p. 100.)

40 "Homenagem a Blaise Cendrars", op. cit. (Leia-se este depoimento de Oswald: "O primitivismo nativo era o nosso único achado de 22, o que acoroçoava então em nós Blaise Cendrars, esse grande globe-trotter suíço já chamado 'pirata do lago Lemano', e que de fato veio se afogar, não numa praia nativa, mas num fundo de garrafa da política de Vichy", em "O caminho percorrido", op. cit., p. 120.)

41 "Art, letters and the arrangement of ideas", duas conferências pronunciadas na Slade School of Fine Art, Universidade de Londres, 29 de maio e 5 de junho de 1965. Maurice Blanchot, *Le Livre à venir* (Paris: Gallimard, 1959, em especial o capítulo sobre a teoria do livro de Mallarmé) e Michel Butor, *Répertoire II* (Paris: Les Éditions de Minuit, 1964, "Le livre comme objet") são outros que se têm ocupado ultimamente do problema.

42 Na terminologia de Dámaso Alonso ("Ensayos sobre poesía española", *Revista de Occidente*, Buenos Aires, pp. 39-46, 1946), poderíamos classificar o símile — base do "correlativo objetivo" — como um *tipo equacional primário*.

43 A bipolarização *metonímia/metáfora* é uma tese do linguista Roman Jakobson. Ver nosso estudo "Estilística miramarina" (Suplemento Literário de *O Estado de S. Paulo*, São Paulo, 24 out. 1964). Republicado em *Metalinguagem* (Petrópolis: Vozes, 1967 [4. ed. *Metalinguagem e outras metas*. São Paulo: Perspectiva, 1992]).

44 Poema destacado por Décio Pignatari já no seu primeiro manifesto: "Nova poesia: concreta", 1956 (ver Augusto de Campos, Décio Pignatari, Haroldo de Campos, *Teoria da poesia concreta*. São Paulo: Invenção, 1965, pp. 39-41 [4. ed. Cotia: Ateliê, 2006]).

45 *Crítica: Os modernos*, op. cit.

46 Roger Bastide, "Bouquet de poetas". In: ______. *Poetas do Brasil*. Curitiba: Guaíra, [1945?], p. 51. [Edição atual: São Paulo: Edusp; Duas Cidades, 1997]

47 Murilo Mendes enquadra a pintura de Volpi num "contexto de redução ao essencial de elementos caóticos", aliando-a à arquitetura brasileira na tarefa de "rarefação da retórica nativa" ("Volpi: do instinto à planificação", no catálogo editado em Roma, Galeria de Arte da "Casa do Brasil", 1963); no mesmo catálogo, Décio Pignatari define Volpi como "um Mondrian *trecentesco*". E é possível também falar de uma linha Tarsila/Volpi.

48 Expressão usada no prefácio a uma seleção de *Poesias* de Sá de Miranda (Lisboa: Editorial Organizações, 1942, p. XIII).

49 Ver nosso estudo "A temperatura informacional do texto", em Augusto de Campos, Décio Pignatari, Haroldo de Campos, op. cit., pp. 143-6.

50 *Crítica: Os modernos*, op. cit.

51 Com o trocadilho *antiparístase* ("antiparástase" ou "demonstração contrária": figura que consiste em alegar que o acusado seria digno de louvor se praticasse o ato de que o acusam), Oswald ironizou a *mauvaise conscience* da "Escola da Anta". Ver o delicioso panfleto "Antologia" (anti-"Anta"), publicado no *Jornal do Commercio* (São Paulo, 24 fev. 1927). Transcrito na revista *Invenção* (São Paulo, n. 4, dez. 1964).

52 Publicado no *Correio Paulistano* (São Paulo, 17 maio 1929). Transcrito na *Revista do Livro* (Rio de Janeiro: MEC; INL, n. 16, pp. 198-202, dez. 1959).

53 Antonio Candido e J. Aderaldo Castello escrevem que, com o lançamento da Antropofagia, Oswald levou "às últimas consequências as posições assumidas no Manifesto Pau Brasil" (*Presença da literatura brasileira*, op. cit., p. 65).

54 "Verdamarelismo". *RASM: Revista Anual do Salão de Maio*, São Paulo, n. 1, 1939.

55 "O caminho percorrido", op. cit., p. 119.

56 "A marcha das utopias VI", *O Estado de S. Paulo*, São Paulo, 9 ago. 1953. Reproduzido em Oswald de Andrade, *A marcha das utopias* (Rio de Janeiro: MEC; Serviço de Documentação, 1966, p. 45). [Incluído em *A utopia antropofágica*. São Paulo: Globo, 2011]

57 "A marcha das utopias x (Conclusão)", *O Estado de S. Paulo*, São Paulo, 27 set. 1953. [Idem, p. 109]

58 Esta "apologia do papão indígena", na expressão de Roger Bastide, ao influxo do "caráter internacional, ocidental, moderno, de São Paulo", desborda da simples "renovação do indianismo", colorindo-se "de freudismo ou de marxismo conforme a época" (*Brasil, terra de contrastes*. São Paulo: Difel, 1959, p. 202 [10. ed., 1980]).

59 Em artigo publicado, com este título, no Suplemento Literário de *O Estado de S. Paulo* (São Paulo, 10 nov. 1957).

60 "Oswald de Andrade e a Antropofagia" (refutação da tese indianista de Cassiano Ricardo), Suplemento Dominical do *Jornal do Brasil*, Rio de Janeiro, 20 out. 1957. Em *A crise da filosofia messiânica* (São Paulo: Revista dos Tribunais, 1950), uma "cultura antropofágica" — do "homem natural tecnizado" — é oposta por Oswald de Andrade à "cultura messiânica", patriarcal e privatística. [Incluído em Oswald de Andrade, *A utopia antropofágica*. São Paulo: Globo, 2011]

61 "Marco zero de Andrade", op. cit. Pignatari distingue entre uma "linha da língua" (evolutiva) e uma "linha da linguagem" (revolucionária).

62 Ver a carta a Bandeira, de 1925 (*Cartas a Manuel Bandeira*, op. cit., p. 94), e a alusão à anunciada (e jamais escrita) *Gramatiquinha da fala brasileira* na carta de 23 dez. 1927 a Tristão de Ataíde (Lygia Fernandes, *71 cartas de Mário de Andrade*, op. cit., pp. 21-2). Mário afirmava que Oswald, no *Miramar*, não respeitara os "fenômenos psicológicos perfeitamente fixados e quase sempre inalteráveis" segundo os quais uma língua se forma, e por isso, ao invés da "língua brasileira", criara uma "linguagem que tudo abandona pela expressão, mesmo leis universais e básicas" ("Osvaldo de Andrade", op. cit.). Mas, no seu próprio *Macunaíma*, também não se encontra essa "língua brasileira" de consenso comum, senão, antes, um idioma artificial, compósito, de manipulação personalíssima.

63 No artigo "Lirismo e participação" (Suplemento Literário de *O Estado de S. Paulo*, São Paulo, 6 jul. 1963), comparamos este poema com a "Carta a Tatiana Jácovleva" de Maiakóvski, da qual fizemos, em colaboração com Boris Schnaiderman, uma versão brasileira (id., 29 set. 1962). Republicado em *Metalinguagem*, op. cit.; a tradução do poema citado encontra-se em V. Maiakóvski, *Poemas* (Rio de Janeiro: Tempo Brasileiro, 1967, pp. 113-7 [5. ed. São Paulo: Perspectiva, 1992]).

64 Muitos serão os exemplos dessa natureza que se poderão colher na poesia e na prosa de Oswald, em abono de nossa hipótese.

65 "Mesa-redonda ou diálogo?", *Jornal de Notícias*, São Paulo, 30 out. 1949.

66 Tradução francesa em *Górki, Maiakóvski et le métier littéraire* (Paris: Éditions de la Nouvelle Critique, 1957, pp. 123-30 [Recherches Sovietiques, 7]).

67 Bertolt Brecht, "Formalismus und Neue Formen". In: ______. *Ueber Lyrik*, op. cit., p. 47.

68 Suplemento Literatura e Arte, *Jornal de São Paulo*, São Paulo, 26 mar. 1950.

69 Manuel Bandeira, *Apresentação da poesia brasileira*. 3. ed. atual. Rio de Janeiro: Casa do Estudante do Brasil, 1957, pp. 137-40. [Ed. atual: São Paulo: Cosac Naify, 2009]

70 Max Bense, *Rationalismus und Sensibilität*. Krefeld; Bade-Bade: Agis, 1956, p. 9.

71 Roland Barthes, *Essais critiques*. Paris: Seuil, 1964, pp. 257; 272. Tradução brasileira no volume *Crítica e verdade* (São Paulo: Perspectiva, 1970).

Leituras recomendadas

AMARAL, Aracy A. *Tarsila: sua obra e seu tempo.* 3. ed. rev. e ampl. São Paulo: Edusp; Editora 34, 2003.

ANDRADE, Gênese. *Pagu/ Oswald/ Segall.* São Paulo: Museu Lasar Segall; Imesp, 2009.

______. "Poemas para ver". *Agália. Publicaçom internacional da Associaçom Galega da Língua*, n. 81-2. Ourense, 2º semestre de 2005, pp. 9-60. Disponível em: <http://www.agalia.net/images/recursos/81-82.pdf>. Acesso em: 8 ago. 2016.

ANDRADE, Mário de. "Oswald de Andrade, *Pau Brasil.* Sans Pareil, Paris, 1925". In: BATISTA, Marta Rossetti; LOPEZ, Telê Porto Ancona; LIMA, Yone Soares de (Orgs.). *Brasil, 1º tempo modernista — 1917-29. Documentação.* São Paulo: Instituto de Estudos Brasileiros, 1972, pp. 225-32.

BASTIDE, Roger. "Oswald de Andrade". In: ______. *Poetas do Brasil.* 2. ed. São Paulo: Edusp; Duas Cidades, 1997, pp. 68-72.

CAMPOS, Augusto de. "Oswald, livro livre". In: ______. *Poesia antipoesia antropofagia & cia.* São Paulo: Companhia das Letras, 2015, pp. 193-204.

CHALMERS, Vera Maria. "Passagem do inferno". *Remate de Males*, n. 6. Campinas, IEL-Unicamp, 1986, pp. 53-62.

DANTAS, Vinicius. "A poesia de Oswald de Andrade". *Novos Estudos Cebrap*, n. 30. São Paulo, Cebrap, jul. 1996, pp. 191-203.

FERNANDES, João Ribeiro. "Oswald de Andrade". In: ______. *Crítica. Os modernos.* Rio de Janeiro: Academia Brasileira de Letras, 1952, pp. 90-4.

FONSECA, Maria Augusta. "Taí: é e não é — Cancioneiro *Pau Brasil*". *Literatura e Sociedade*, n. 7. São Paulo, DTLLC, FFLCH-USP,

2004, pp. 120-45. Disponível em: <http://www.revistas.usp.br/ls/article/view/25416/27161>. Acesso em: 4 set. 2016.

MILLIET, Sérgio. "A poesia de Oswald". Suplemento Literário, *O Estado de S. Paulo*, São Paulo, 24 out. 1964. Disponível em: <http://acervo.estadao.com.br/pagina/#!/19641024-27458-nac-0012-lit-4-not>. Acesso em: 8 ago. 2016.

SCHWARTZ, Jorge. "Tarsila e Oswald na sábia preguiça solar". In: ______. *Fervor das vanguardas: arte e literatura na América Latina*. São Paulo: Companhia das Letras, 2013, pp. 15-33.

______. *Vanguarda e cosmopolitismo na década de 20: Oliverio Girondo e Oswald de Andrade*. São Paulo: Perspectiva, 1983.

SCHWARZ, Roberto. "A carroça, o bonde e o poeta modernista". In: ______. *Que horas são?: ensaios*. São Paulo: Companhia das Letras, 1987, pp. 11-28.

Cronologia

1890 Nasce José Oswald de Souza Andrade, no dia 11 de janeiro, na cidade de São Paulo, filho de José Oswald Nogueira de Andrade e de Inês Henriqueta de Souza Andrade. Na linhagem materna, descende de uma das famílias fundadoras do Pará, estabelecida no porto de Óbidos. É sobrinho do jurista e escritor Herculano Marques Inglês de Souza. Pelo lado paterno, ligava-se a uma família de fazendeiros mineiros de Baependi. Passou a primeira infância em uma casa confortável na rua Barão de Itapetininga.

1900 Tendo iniciado seus estudos com professores particulares, ingressa no ensino público na Escola Modelo Caetano de Campos.

1902 Cursa o Ginásio Nossa Senhora do Carmo.

1905 Frequenta o Colégio de São Bento, tradicional instituição de ensino religioso, onde se torna amigo de Guilherme de Almeida. Conhece o poeta Ricardo Gonçalves.

1908 Conclui o ciclo escolar no Colégio de São Bento.

1909 Ingressa na Faculdade de Direito do Largo de São Francisco. Inicia profissionalmente no jornalismo, escrevendo para o *Diário Popular*. Estreia com o pseudônimo Joswald, nos dias 13 e 14 de abril, quando saem os dois artigos intitulados "Penando — De São Paulo a Curitiba" em que trata da viagem de seis dias do presidente Afonso Pena ao estado do Paraná. Conhece Washington Luís, membro da comitiva oficial e futuro presidente, de quem se tornaria amigo íntimo. Trabalha também como redator da coluna "Teatros e Salões" no mesmo jornal. Monta um ateliê de pintura com Osvaldo Pinheiro.

1911 Faz viagens frequentes ao Rio de Janeiro, onde participa da vida boêmia dos escritores. Conhece o poeta Emílio de Meneses. Deixa o *Diário Popular*. Em 12 de agosto, lança, com Voltolino, Dolor Brito Franco e Antônio Define, o semanário *O Pirralho*, no qual usa o pseudônimo Annibale Scipione para assinar a seção "As Cartas d'Abaixo Pigues". No final do ano, interrompe os estudos na Faculdade de Direito e arrenda a revista a Paulo Setúbal e Babi de Andrade no intuito de realizar sua primeira viagem à Europa.

1912 Embarca no porto de Santos, no dia 11 de fevereiro, rumo ao continente europeu. A bordo do navio *Martha Washington*, fica entusiasmado com Carmen Lydia, nome artístico da menina Landa Kosbach, de treze anos, que viaja para uma temporada de estudos de balé no teatro Scala de Milão. Visita a Itália, a Alemanha, a Bélgica, a Inglaterra, a Espanha e a França. Trabalha como correspondente do matutino *Correio da Manhã*. Em Paris, conhece sua primeira esposa, Henriette Denise Boufflers (Kamiá), com quem retorna ao Brasil em 13 de setembro a bordo do navio *Oceania*. Não revê a mãe, falecida no dia 6 de setembro. Tem sua primeira experiência poética ao escrever "O último passeio de um tuberculoso, pela cidade, de bonde" e rasgá-lo em seguida.

1913 Frequenta as reuniões artísticas da Villa Kyrial, palacete do senador Freitas Vale. Conhece o pintor Lasar Segall que, recém-chegado ao país, expõe pela primeira vez em Campinas e São Paulo. Escreve o drama *A recusa*.

1914 Em 14 de janeiro, nasce José Oswald Antônio de Andrade (Nonê), seu filho com a francesa Kamiá. Acompanha as aulas do programa de bacharelado em ciências e letras do Mosteiro de São Bento.

1915 Publica, em 2 de janeiro, na seção "Lanterna Mágica" de *O Pirralho*, o artigo "Em prol de uma pintura nacional". Junto com os colegas da redação, cultiva uma vida social intensa, tendo ainda como amigos Guilherme de Almeida, Amadeu Amaral, Júlio de Mesquita Filho, Vicente Rao e Pedro Rodrigues de Almeida. Vai com frequência ao Rio de Janeiro, onde participa da vida boêmia ao lado dos escritores Emílio de Meneses, Olegário Mariano, João do Rio e Elói Pontes. Mantém uma relação íntima com a jovem Carmen Lydia, cuja carreira estimula, financiando seus estudos de aperfeiçoamento e introduzindo-a nos meios artísticos. Com apoio de *O Pirralho*, realiza um festival no salão do Conservatório Dramático e Musical, em homenagem a Emílio de Meneses, em 4 de setembro.

1916 Inspirado no envolvimento amoroso com Carmen Lydia, escreve, em parceria com Guilherme de Almeida, a peça *Mon Coeur balance*, cujo primeiro ato é divulgado em *A Cigarra*, de 19 de janeiro. Também em francês, assina, com Guilherme de Almeida, a peça *Leur Âme*, reproduzida em parte na revista *A Vida Moderna*, em maio e dezembro. Ambas foram reunidas no volume *Théâtre Brésilien*, lançado pela Typographie Ashbahr, com projeto gráfico do artista Wasth Rodrigues. Em dezembro, a atriz francesa Suzanne Després e seu cônjuge Lugné-Poe fizeram a leitura dramática de um ato de *Leur Âme* no Theatro Municipal de São Paulo. Oswald volta a frequentar a Faculdade de Direito e trabalha como redator do diário *O Jornal*. Faz viagens constantes ao Rio de Janeiro, onde Carmen Lydia vive sob a tutela da avó. Lá conhece a dançarina Isadora Duncan, em turnê pela América do Sul, e a acompanha nos passeios turísticos durante a temporada paulistana. Assina como Oswald de Andrade os trechos do futuro romance *Memórias sentimentais de João Miramar*, publicados em 17 e 31 de agosto em *A Cigarra*. Publica trechos também em *O Pirralho* e *A Vida Moderna*. Assume a função de redator da edição paulistana do *Jornal do Commercio*. Escreve o drama *O filho do sonho*.

1917 Conhece o escritor Mário de Andrade e o pintor Di Cavalcanti. Forma com eles e com Guilherme de Almeida e Ribeiro Couto o primeiro grupo modernista. Aluga uma garçonnière na rua Líbero Badaró, n. 67.

1918 Publica no *Jornal do Commercio*, em 11 de janeiro, o artigo "A exposição Anita Malfatti", no qual defende as tendências da arte expressionista, em resposta à crítica "Paranoia ou mistificação", de Monteiro Lobato, publicada em 20 de dezembro de 1917 em *O Estado de S. Paulo*. Em fevereiro, *O Pirralho* deixa de circular. Cria, a partir de 30 de maio, o "Diário da Garçonnière", também intitulado *O perfeito cozinheiro das almas deste mundo*. Os amigos mais assíduos, Guilherme de Almeida, Léo Vaz, Monteiro Lobato, Pedro Rodrigues de Almeida, Ignácio da Costa Ferreira e Edmundo Amaral, participam do diário coletivo que registra ainda a presença marcante da normalista Maria de Lourdes Castro Dolzani, conhecida como Deisi, Daisy e Miss Cyclone. As anotações, datadas até 12 de setembro, revelam seu romance com Daisy, que por motivos de saúde foi obrigada a voltar para a casa da família, em Cravinhos.

1919 Perde o pai em fevereiro. Ajuda Daisy a se estabelecer em São Paulo. Publica, na edição de maio da revista dos estudantes da Faculdade de Direito, *O Onze de Agosto*, "Três capítulos" (Barcelona — 14 de julho em Paris — Os cinco dominós) do romance em confecção *Memórias sentimentais de João Miramar*. No dia 15 de agosto, casa-se in extremis com Daisy, hospitalizada devido a um aborto malsucedido, tendo como padrinhos Guilherme de Almeida, Vicente Rao e a mãe dela. No dia 24 de agosto, Daisy morre, aos dezenove anos, e é sepultada no jazigo da família Andrade no cemitério da Consolação. Conclui o bacharelado em direito sendo escolhido o orador do Centro Acadêmico XI de agosto.

1920 Trabalha como editor da revista *Papel e Tinta*, lançada em maio e publicada até fevereiro de 1921. Assina Marques D'Olz e escreve, com Menotti Del Picchia, o editorial da revista, que contou com a colaboração de Mário de Andrade, Monteiro Lobato e Guilherme de Almeida, entre outros. Conhece o escultor Victor Brecheret, na ocasião trabalhando na maquete do *Monumento às bandeiras*, em comemoração ao Centenário da Independência, a se realizar em 1922. Encomenda-lhe um busto de Daisy, a falecida Miss Cyclone.

1921 No dia 27 de maio, apresenta no *Correio Paulistano* a poesia de Mário de Andrade com o artigo "O meu poeta futurista". Cria polêmica com o próprio amigo, que lhe responde no dia 6 de junho com uma indagação, "Futurista?", a qual tem por réplica o artigo "Literatura contemporânea", de 12 de junho. No mesmo diário, publica trechos inéditos de *A trilogia do exílio II* e *III*, acompanhados de uma coluna elogiosa de Menotti Del Picchia. Em busca de adesões ao modernismo, viaja com outros escritores ao Rio de Janeiro, onde se encontra com Ribeiro Couto, Ronald de Carvalho, Manuel Bandeira e Sérgio Buarque de Holanda.

1922 Participa ativamente da Semana de Arte Moderna, realizada de 13 a 17 de fevereiro no Theatro Municipal de São Paulo, quando lê fragmentos inéditos de *Os condenados* e *A estrela de absinto* (volumes I e II de *A trilogia do exílio*). Integra o grupo da revista modernista *Klaxon*, lançada em maio. Divulga, no quinto número da revista, uma passagem inédita de *A estrela de absinto*. Publica *Os condenados*, com capa de Anita Malfatti, pela casa editorial de Monteiro Lobato. Forma, com Mário de Andrade, Anita Malfatti, Tarsila do Amaral e Menotti Del Picchia, o chamado "grupo dos cinco". Viaja para a Europa no mês de dezembro pelo navio da Compagnie de Navigation Sud-Atlantique.

1923 Ganha na Justiça a custódia do filho Nonê, que viaja com ele à Europa e ingressa no Lycée Jaccard, em Lausanne, na Suíça. Durante os meses de janeiro e fevereiro, passeia com Tarsila pela Espanha e Portugal. A partir de março, instala-se em Paris, de onde envia artigos sobre os ambientes intelectuais da época para o *Correio Paulistano*. Trava contatos com a vanguarda francesa, conhecendo, em maio, o poeta Blaise Cendrars. Profere uma conferência na Sorbonne intitulada "L'Effort intellectuel du Brésil contemporain", traduzida e divulgada pela *Revista do Brasil*, em dezembro.

1924 Recebe, no início de fevereiro, o amigo Blaise Cendrars, que conhecera em Paris. Escreve um texto elogioso sobre ele no *Correio Paulistano*. Leva-o para assistir ao Carnaval do Rio de Janeiro. Em 18 de março, publica, na seção "Letras & Artes" do *Correio da Manhã*, o "Manifesto da Poesia Pau Brasil", reproduzido pela *Revista do Brasil* nº 100, em abril. Na companhia de Blaise Cendrars, Mário de Andrade, Tarsila do Amaral, Paulo Prado, Goffredo da Silva Telles e René Thiollier, forma a chamada caravana modernista, que excursiona pelas cidades históricas de Minas Gerais, durante a Semana Santa, realizando a "descoberta do Brasil". Dedica a Paulo Prado e a Tarsila seu livro *Memórias sentimentais de João*

Miramar, lançado pela Editora Independência, com capa de Tarsila. Faz uma leitura de trechos inéditos do romance *Serafim Ponte Grande* na residência de Paulo Prado. Participa do v Ciclo de Conferências da Villa Kyrial, expondo suas impressões sobre as realizações intelectuais francesas. Publica poemas de *Pau Brasil* na *Revista do Brasil* de outubro. Viaja novamente à Europa a bordo do *Massília*, estando em novembro na Espanha. Instala-se em Paris com Tarsila.

1925 Visita o filho Nonê, que estuda na Suíça. Retorna ao Brasil em maio. Sai o livro de poemas *Pau Brasil*, editado com apoio de Blaise Cendrars pela editora francesa Au Sans Pareil, com ilustrações de Tarsila do Amaral e um prefácio de Paulo Prado. Publica em *O Jornal* o rodapé "A poesia Pau Brasil", no qual responde ao ataque feito pelo crítico Tristão de Ataíde no mesmo matutino, nos dias 28 de junho e 5 de julho, sob o título "Literatura suicida". No dia 15 de outubro, divulga em carta aberta sua candidatura à Academia Brasileira de Letras para a vaga de Alberto Faria, mas não chega a regularizar a inscrição. Oficializa o noivado com Tarsila do Amaral em novembro. O casal parte rumo à Europa, em dezembro. Na passagem do ano, visitam Blaise Cendrars em sua casa de campo, em Tremblay-sur-Mauldre.

1926 Segue com Nonê, Tarsila do Amaral e sua filha Dulce para uma excursão ao Oriente Médio, a bordo do navio *Lotus*. Publica, na revista modernista *Terra Roxa e Outras Terras*, de 3 de fevereiro, o prefácio "Lettre-Océan" ao livro *Pathé-baby*, de António de Alcântara Machado. Em maio, vai a Roma para uma audiência com o papa, na tentativa de obter a anulação do primeiro casamento de Tarsila. Em Paris, auxilia a pintora nos preparativos de sua exposição. Dá início à coluna "Feira das Quintas", no *Jornal do Commercio*, que até 5 de maio do ano seguinte será assinada por João Miramar. Casa-se com Tarsila do Amaral em 30 de outubro, tendo como padrinhos o amigo e já presidente da República Washington Luís e d. Olívia Guedes Penteado. Encontra-se, em outubro, com os fundadores da revista *Verde*, em Cataguases, Minas Gerais. Divulga, na *Revista do Brasil* (2ª fase), de 30 de novembro, o primeiro prefácio ao futuro livro *Serafim Ponte Grande*, intitulado "Objeto e fim da presente obra".

1927 Publica *A estrela de absinto*, segundo volume de *A trilogia do exílio*, com capa de Victor Brecheret, pela Editorial Hélios. A partir de 31 de março, escreve, no *Jornal do Commercio*, crônicas de ataque a Plínio Salgado e Menotti Del Picchia, estabelecendo as divergências com o grupo Verde-Amarelo que levaram à cisão entre os modernistas de 1922. Custeia a publicação do livro de poemas *Primeiro caderno do aluno de poesia Oswald de Andrade*, com capa de Tarsila do Amaral e ilustrações próprias. Volta a Paris, onde permanece de junho a agosto para a segunda exposição individual de Tarsila. Recebe menção honrosa pelo romance *A estrela de absinto* no concurso promovido pela Academia Brasileira de Letras.

1928 Como presente de aniversário, recebe de Tarsila um quadro ao qual resolvem chamar *Abaporu* (em língua tupi, "aquele que come"). Redige e faz uma leitura do "Manifesto Antropófago" na casa de Mário de Andrade. Funda, com os amigos Raul Bopp e António de Alcântara Machado, a *Revista de Antropofagia*, cuja "primeira dentição" é editada de maio de 1928 a fevereiro de 1929.

1929 Lança, em 17 de março, a "segunda dentição" da *Revista de Antropofagia*, dessa vez veiculada pelo *Diário de S. Paulo* até 1º de agosto, sem a participação dos antigos colaboradores, os quais a revista passa a criticar. Com o apoio da publicação, presta uma homenagem ao palhaço Piolim no dia 27 de março, Quarta-Feira de Cinzas, oferecendo-lhe um almoço denominado "banquete de devoração". Ao longo do ano, rompe com os amigos Mário de Andrade, Paulo Prado e António de Alcântara Machado. Em outubro, sofre os efeitos da queda da bolsa de valores de Nova York. Recebe, na fazenda Santa Tereza do Alto, a visita de Le Corbusier, Josephine Baker e Hermann von Keyserling. Mantém uma relação amorosa com Patrícia Galvão, a Pagu, com quem escreve o diário "O romance da época anarquista, ou Livro das horas de Pagu que são minhas — o romance romântico — 1929-1931". Viaja para encontrar-se com ela na Bahia. Ao regressar, desfaz seu matrimônio com Tarsila, prima de Waldemar Belisário, com quem Pagu havia recentemente forjado um casamento.

1930 No dia 5 de janeiro, firma um compromisso verbal de casamento com Pagu junto ao jazigo da família Andrade, no cemitério da Consolação. Depois registra a união em uma foto oficial dos noivos, diante da Igreja da Penha. Viaja ao Rio de Janeiro para assistir à posse de Guilherme de Almeida na Academia Brasileira de Letras e é detido pela polícia devido a uma denúncia sobre sua intenção de agredir o ex-amigo e poeta Olegário Mariano. Nasce seu filho com Pagu, Rudá Poronominare Galvão de Andrade, no dia 25 de setembro.

1931 Viaja ao Uruguai, onde conhece Luís Carlos Prestes, exilado em Montevidéu. Adere ao comunismo. Em 27 de março, lança, com Pagu e Queirós Lima, o jornal *O Homem do Povo*. Participa da Conferência Regional do Partido Comunista no Rio de Janeiro. Em junho, deixa de viver com Pagu.

1933 Publica o romance *Serafim Ponte Grande*, contendo novo prefácio, redigido no ano anterior, após a Revolução Constitucionalista de 9 de julho, em São Paulo. Financia a publicação do romance *Parque industrial*, de Pagu, que assina com o pseudônimo Mara Lobo.

1934 Participa do Clube dos Artistas Modernos. Vive com a pianista Pilar Ferrer. Publica a peça teatral *O homem e o cavalo*, com capa de Nonê. Lança *A escada vermelha*, terceiro volume de *A trilogia do exílio*. Apaixona-se por Julieta Bárbara Guerrini, com quem assina, em dezembro, um "contrato antenupcial" em regime de separação de bens.

1935 Faz parte do grupo que prepara os estatutos do movimento Quarteirão, que se reúne na casa de Flávio de Carvalho para programar atividades artísticas e culturais. Conhece, por meio de Julieta Guerrini, que frequenta o curso de sociologia da USP, os professores Roger Bastide, Giuseppe Ungaretti e Claude Lévi-Strauss, de quem fica amigo. Acompanha Lévi-Strauss em excursão turística às cataratas de Foz do Iguaçu.

1936 Publica, na revista *O XI de Agosto*, o trecho "Página de Natal", que anos mais tarde faria parte de *O beco do escarro*, da série *Marco zero*. Termina a primeira versão de *O santeiro do Mangue*. Casa-se oficialmente com Julieta Bárbara Guerrini, no dia 24 de dezembro, em cerimônia que teve como padrinhos Cásper Libero, Candido Portinari e Clotilde Guerrini, irmã da noiva.

1937 Frequenta a fazenda da família de Julieta Guerrini, em Piracicaba, onde recebe a visita de Jorge Amado. Publica, pela editora José Olympio, um volume reunindo as peças *A morta* e *O Rei da Vela*. Colabora na revista *Problemas*, em 15 de agosto, com o ensaio "País de sobremesa" e, em 15 de setembro, com a sátira "Panorama do fascismo".

1938 Publica na revista *O Cruzeiro*, em 2 de abril, "A vocação", texto que seria incluído no volume *A presença do mar*, quarto título da série *Marco zero*, que não chegou a ser editado. Obtém o registro n. 179 junto ao Sindicato dos Jornalistas de São Paulo. Escreve o ensaio "Análise de dois tipos de ficção", apresentado no mês de julho no Primeiro Congresso Paulista de Psicologia, Neurologia, Psiquiatria, Endocrinologia, Medicina Legal e Criminologia.

1939 Em agosto, parte para a Europa com a esposa Julieta Guerrini a bordo do navio *Alameda*, da Blue Star Line, para representar o Brasil no Congresso do Pen Club que se realizaria na Suécia. Retorna, a bordo do navio cargueiro *Angola*, depois de cancelado o evento devido à guerra. Trabalha para a abertura da filial paulista do jornal carioca *Meio Dia*, do qual se torna representante. Mantém nesse jornal as colunas "Banho de Sol" e "De Literatura". Publica uma série de reportagens sobre personalidades paulistas no *Jornal da Manhã*. Sofre problemas de saúde. Retira-se para a estância de São Pedro a fim de recuperar-se da crise.

1940 Candidata-se à Academia Brasileira de Letras, dessa vez para ocupar a vaga de Luís Guimarães Filho. Escreve uma carta aberta aos imortais, declarando-se um paraquedista contra as candidaturas de Menotti Del Picchia e Manuel Bandeira, que acaba sendo eleito. Como provocação, essa carta, publicada no dia 22 de agosto no Suplemento Literário do jornal *Meio Dia*, veio acompanhada de uma fotografia sua usando uma máscara de proteção contra gases mortíferos.

1941 Relança *A trilogia do exílio* em volume único, com o título *Os condenados*, e os romances agora intitulados *Alma*, *A estrela de absinto* e *A escada*, pela editora Livraria do Globo. Encontra-se com Walt Disney que visita São Paulo. Monta, com o filho Nonê, um escritório de imóveis.

1942 Publica, na *Revista do Brasil* (3ª fase), do mês de março, o texto "Sombra amarela", dedicado a Orson Welles, de seu futuro romance *Marco zero*. Participa do VII Salão do Sindicato dos Artistas Plásticos de São Paulo. Julieta Guerrini entra com pedido de separação em 21 de dezembro. Depois de conhecer Maria Antonieta D'Alkmin, dedica-lhe o poema "Cântico dos cânticos para flauta e violão", publicado como suplemento da *Revista Acadêmica* de junho de 1944, com ilustrações de Lasar Segall.

1943 Publica *A revolução melancólica*, primeiro volume de *Marco zero*, com capa de Santa Rosa, pela editora José Olympio. Com esse romance, participa do II Concurso Literário patrocinado pela *Revista do Brasil* e pela Sociedade Felipe de Oliveira. Em junho, casa-se com Maria Antonieta. Inicia, em 16 de julho, a coluna "Feira das Sextas" no *Diário de S. Paulo*. Encontra-se com o escritor argentino Oliverio Girondo, que visita o Brasil com a esposa. Por ocasião do encerramento da exposição do pintor Carlos Prado, em setembro, profere a conferência "A evolução do retrato".

1944 A partir de 1º de fevereiro, começa a colaborar no jornal carioca *Correio da Manhã*, para o qual escreve a coluna "Telefonema" até o fim da vida. Em maio, viaja a Belo Horizonte a convite do prefeito Juscelino Kubitschek, para participar da Primeira Exposição de Arte Moderna, na qual profere a conferência "O caminho percorrido", mais tarde incluída no volume *Ponta de lança*. Concede uma entrevista a Edgar Cavalheiro, que a publica como "Meu testamento" no livro *Testamento de uma geração*.

1945 Participa do I Congresso Brasileiro de Escritores realizado em janeiro. Viaja a Piracicaba, onde profere a conferência "A lição da Inconfidência" em comemoração ao dia 21 de abril. Em 22 de maio, anuncia o nome de Prestes como candidato à presidência e lança o manifesto da Ala Progressista Brasileira. Publica *Chão*, o segundo volume de *Marco zero*, pela editora José Olympio, e também edita sua reunião de artigos intitulada *Ponta de lança*, pela Martins Editora. Publica, pelas Edições Gaveta, em volume de luxo, com capa de Lasar Segall, *Poesias Reunidas O. Andrade*. É convidado a falar na Biblioteca Municipal de São Paulo, onde pronuncia a conferência "A sátira na literatura brasileira". Discorda da linha política adotada por Prestes e rompe com o Partido Comunista do Brasil, expondo suas razões em uma entrevista publicada em 23 de setembro no *Diário de S. Paulo*. Publica a tese *A Arcádia e a Inconfidência*, apresentada em concurso da cadeira de Literatura Brasileira da Universidade de São Paulo. Recebe o poeta Pablo Neruda em visita a São Paulo. Publica o poema "Canto do pracinha só", escrito em agosto, na *Revista Acadêmica* de novembro, mês em que nasce sua filha Antonieta Marília de Oswald de Andrade.

1946 Participa do I Congresso Paulista de Escritores que se reúne em Limeira e presta homenagem póstuma ao escritor Mário de Andrade. Assina contrato com o governo de São Paulo para a realização da obra "O que fizemos em 25 anos", projeto que acaba sendo arquivado. Em outubro, profere a conferência "Informe sobre o modernismo". Em novembro, publica, na *Revista Acadêmica*, o ensaio "Mensagem ao antropófago desconhecido (da França Antártica)".

1947 Publica, na *Revista Acadêmica*, o poema "O escaravelho de ouro", dedicado à filha Antonieta Marília e com data de 15 de abril de 1946. Candidata-se a delegado paulista da Associação Brasileira de Escritores, que realiza congresso em outubro, em Belo Horizonte. Perde a eleição e se desliga da entidade por meio de um protesto dirigido ao presidente da seção estadual, Sérgio Buarque de Holanda.

1948 Em 24 de abril, nasce seu quarto filho, Paulo Marcos Alkmin de Andrade. Nessa época, participa do Primeiro Congresso Paulista de Poesia, no qual discursa criticando a chamada "geração de 1945" e reafirma as conquistas de 1922.

1949 Profere conferência no Centro de Debates Cásper Líbero, no dia 25 de janeiro, intitulada "Civilização e dinheiro". Em abril, faz a apresentação do jornal *Tentativa*, lançado pelo grupo de intelectuais residentes em Atibaia, a quem concede entrevista sobre a situação da literatura. Profere conferência no dia 19 de maio no Museu de Arte Moderna, onde fala sobre "As novas dimensões da poesia". Recebe, em julho, o escritor Albert Camus, que vem ao Brasil para proferir conferências. Oferece-lhe uma "feijoada antropofágica" em sua residência. Inicia, no dia 5 de novembro, a coluna "3 Linhas e 4 Verdades" na *Folha da Manhã*, atual *Folha de S.Paulo*, que manteve até o ano seguinte.

1950 No dia 25 de março, comemora seu 60º aniversário e o Jubileu de *Pau Brasil*; participa do "banquete antropofágico" no Automóvel Club de São Paulo, em sua homenagem. O *Diário de Notícias*, do Rio de Janeiro, publica, no dia 8 de janeiro, o "Autorretrato de Oswald". Em fevereiro, concede entrevista a Mário da Silva Brito, para o *Jornal de Notícias*, intitulada "O poeta Oswald de Andrade perante meio século de literatura brasileira". Em abril, escreve o artigo "Sexagenário não, mas Sex-appeal-genário" para o jornal *A Manhã*. Participa do I Congresso Brasileiro de Filosofia com a comunicação "Um aspecto antropofágico da cultura brasileira, o homem cordial". Publica, pela gráfica Revista dos Tribunais, a tese *A crise da filosofia messiânica*, que pretendia apresentar à Universidade de São Paulo, em um concurso da cadeira de Filosofia, mas não pôde concorrer. Lança-se candidato a deputado federal pelo Partido Republicano Trabalhista com o lema "Pão-teto-roupa-saúde-instrução-liberdade".

1951 Em janeiro, entrega a Cassiano Ricardo um projeto escrito a propósito da reforma de base anunciada por Getúlio Vargas. Propõe a organização de um Departamento Nacional de Cultura. Suas dificuldades financeiras acentuam-se. Consegue negociar um empréstimo junto à Caixa Econômica para conclusão da construção de um edifício. Recebe o filósofo italiano Ernesto Grassi, a quem oferece um churrasco em seu sítio em Ribeirão Pires. No dia 8 de agosto, a *Folha da Manhã* publica seu perfil em artigo intitulado "Traços de identidade".

1952 Em 17 de fevereiro, o suplemento Letras & Artes do jornal carioca *A Manhã* republica o "Manifesto da Poesia Pau Brasil" entre a série de matérias comemorativas dos trinta anos da Semana de Arte Moderna. Faz anotações para um estudo sobre a Antropofagia, escrevendo os ensaios "Os passos incertos do antropófago" e "O antropófago, sua marcha para a técnica, a revolução e o progresso". Passa temporadas no sítio de Ribeirão Pires e em Águas de São Pedro para tratamento de saúde. Em dezembro, escreve "Tratado de Antropofagia"; é internado na Clínica São Vicente, no Rio de Janeiro.

1953 Participa do júri do concurso promovido pelo Salão Letras e Artes Carmen Dolores Barbosa e dirige saudação a José Lins do Rego, premiado com o romance *Cangaceiros*. Passa por nova internação hospitalar no Rio de Janeiro, durante o mês de junho. Publica, a partir de 5 de julho, no caderno Literatura e Arte de *O Estado de S. Paulo*, a série "A marcha das Utopias" e, a partir de setembro, fragmentos "Das 'Memórias'". Recebe proposta para traduzir *Marco zero* para o francês. Em dezembro, sem recursos e necessitando de tratamentos de saúde, tenta vender sua coleção de telas estrangeiras para o Museu de Arte Moderna do Rio de Janeiro, que formava seu acervo, e os quadros nacionais para Niomar Moniz.

1954 A partir de fevereiro, prepara-se para ministrar o curso de Estudos Brasileiros na Universidade de Uppsala, na Suécia. Altera a programação e prepara um curso a ser dado em Genebra. Não realiza a viagem. Em março, é internado no hospital Santa Edwiges e escreve o caderno de reflexões "Livro da convalescença". Em maio, passa por uma cirurgia no Hospital das Clínicas. Profere a conferência "Fazedores da América — de Vespúcio a Matarazzo" na Faculdade de Direito da USP. É homenageado pelo Congresso Internacional de Escritores realizado em São Paulo. É publicado o primeiro volume planejado para a série de memórias, *Um* *homem sem profissão. Memórias e confissões.* I. *Sob as ordens de mamãe*, com capa de Nonê e prefácio de Antonio Candido, pela José Olympio. Seu reingresso nos quadros da Associação Brasileira de Escritores é aprovado em agosto. Em setembro, é entrevistado pelo programa de Radhá Abramo na TV Record. Em outubro, é novamente internado; falece no dia 22, sendo sepultado no jazigo da família, no cemitério da Consolação.

Créditos das imagens

As reproduções são de Renato Parada.
A publicação das ilustrações de Tarsila do Amaral foi autorizada por © Tarsila do Amaral Empreendimentos.

pp. 20, 27, 41, 47, 55, 63, 67, 71, 85 e 99: Tarsila do Amaral. Ilustrações publicadas no livro *Pau Brasil*. Paris: Au Sans Pareil, 1925.

pp. 113, 150: Tarsila do Amaral. Ilustrações publicadas no livro *Primeiro caderno do aluno de poesia Oswald de Andrade*. São Paulo: Edição do autor, 1927.

pp. 119, 120, 122, 123, 124, 125, 127, 128, 129, 130, 132, 134, 138, 139, 140, 143, 144, 145, 146, 149: Oswald de Andrade. Ilustrações publicadas no livro *Primeiro caderno do aluno de poesia Oswald de Andrade*. São Paulo: Edição do autor, 1927.

pp. 153, 158: Lasar Segall. Ilustrações publicadas no livro *Poesias Reunidas O. Andrade*. São Paulo: Gaveta, 1945. © Museu Lasar Segall, Ibram, MinC, São Paulo.

p. 184: Tarsila do Amaral. Ilustração publicada no livro *Poesias Reunidas O. Andrade*. São Paulo: Gaveta, 1945.

Índice de títulos e primeiros versos

1ª EDIÇÃO [2017] 3 reimpressões

ESTA OBRA FOI COMPOSTA PELA SPRESS EM SILVIA TEXT E IMPRESSA EM OFSETE PELA GEOGRÁFICA SOBRE PAPEL PÓLEN SOFT DA SUZANO S.A. PARA A EDITORA SCHWARCZ EM JUNHO DE 2022

A marca FSC® é a garantia de que a madeira utilizada na fabricação do papel deste livro provém de florestas que foram gerenciadas de maneira ambientalmente correta, socialmente justa e economicamente viável, além de outras fontes de origem controlada.